COLLECTION FOLIO

Philibert Humm

Roman fleuve

Gallimard

Philibert Humm est journaliste et écrivain. Il est notamment l'auteur du *Tour de la France par deux enfants d'aujourd'hui* (2018) et de *La Micheline* (2021), co-écrits avec Pierre Adrian, et de *Roman fleuve* (2022), pour lequel il a reçu le Prix Interallié 2022.

À mon oncle Agathe.

« Quand on pense à toutes les bizarreries qu'il est si facile d'éviter en n'allant jamais plus loin que Ville-d'Avray. »

Alphonse Allais.

NOTE DE L'ÉDITEUR

Ce périple, trois jeunes gens l'ont réellement entrepris, au mépris du danger, au péril de leur vie, et malgré les supplications de leurs familles respectives. Ils l'ont fait pour le rayonnement de la France, le progrès de la science et aussi un peu pour passer le temps.

Il en résulte ce récit d'aventures avec de l'action à l'intérieur et aussi des temps calmes et du passé simple. Hormis deux ou trois passages inquiétants, le suspense y est supportable et l'œuvre reste accessible au public poitrinaire. À noter la présence de nombreux adverbes – un millier environ.

Pour plus de commodité dans la lecture, des gravures ont été réalisées au burin par l'artiste, Monsieur Arthur Capmas, médaille d'or du Salon des Beaux-Arts.

L'éditeur ne saurait être tenu responsable des mauvaises idées que ce livre ne manquera pas d'instiller dans le cerveau vicié des nouvelles générations gavées d'écran et pourries à la moelle. Cette aventure a été réalisée par des professionnels. N'essayez pas de la reproduire chez vous.

1

Typologie du genre humain. L'aventurier contre tout chacal.

Il existe deux catégories d'individus. Ceux qui prennent des risques et ceux qui n'en prennent pas. Les aventuriers et les autres. Me concernant, j'appartiens à la première catégorie. Les aventuriers vivent une vie trépidante et portent des gilets à poches. Ils courent le monde, gravissent des sommets, tombent dans des crevasses, s'écorchent les genoux. Quand ils rentrent à la maison, ils racontent leur aventure en enjolivant à peine, parce que c'est bien joli de ficher le camp aux cinq cents diables, si on ne peut en parler au retour, ça ne sert à rien. Quand l'entourage a suffisamment soupé du récit des aventures, il est temps de repartir. Telle est la destinée des aventuriers. C'est à ce prix, à ce prix seulement, qu'ils font rêver les enfants, dont un sur dix mille environ deviendra aventurier à son tour. Les autres seront commissaires de police, fonctionnaires des Postes, épiciers, assureurs, vendeurs de cigarettes électroniques, *bid managers, Scrum masters* ou *chief happiness officer* comme tout un chacun. On entoure les aventuriers d'un certain prestige et c'est pourquoi les autres, c'est-à-dire les individus non-aventuriers, ne les aiment pas beaucoup. Ils disent que les aventuriers se vantent. Nous ne nous vantons pas. Nous enchantons le monde en l'honorant de notre visite et portons à la connaissance d'autrui le merveilleux des confins par le récit époustouflant de nos folles tribulations. Aussi, il arrive que nous passions à la télévision. Sur des plateaux climatisés, devant des animateurs aux dents trop blanches pour être honnêtes, nous célébrons les joies de la vie au grand air.

À ces fins, j'ai moi-même entrepris d'étaler sur deux cent soixante-dix pages, au passé simple et à l'imparfait, le récit de mon aventure. Les événements que je m'apprête à raconter se sont déroulés comme suit, il y a quelques années de cela. Je dis quelques années par effet de style mais je sais fort bien qu'ils eurent lieu à l'été 2018. J'avais 26 ans et laisserai dire, si ça vous amuse, que c'est le plus bel âge de la vie.

C'était l'été, donc, un été de canicule. Pour ceux qui n'auraient pas compris : il faisait chaud. Un matin, c'était un lundi je crois, je longeais les quais de Seine pour me rendre dans une boutique de modélisme ferroviaire, quand, soudain, me vint cette réflexion : « Que d'eau, que d'eau… » Puis je pensai à autre chose, mon esprit est si libre. Un quart d'heure plus tard j'y revins : « Vraiment ça en fait de l'eau, et qui coule jour et nuit… D'où vient cette eau, où va-t-elle ? Sans doute à la mer… Comme il serait plaisant d'aller le vérifier, d'en descendre le cours jusqu'à l'estuaire. Cela ferait une sacrée aventure, n'est-ce pas ? » Personne ne répondit car j'étais seul.

En ce temps-là je débutais dans le métier d'aventurier professionnel. J'en étais encore à croire qu'il me faudrait cueillir des baies sur la rive et vivre du produit de la pêche. Je m'imaginais chasseur-cueilleur, glaneur, baroudeur à la mode d'autrefois. De nos jours, les aventuriers ne traquent plus le gibier pour manger ni ne se nourrissent de racines. Comme tout le monde nous scannons sous blister aux caisses automatiques. Qui va à la chasse perd sa place, qui va chez Auchan la reprend.

Je commençai par m'attacher les services d'un autre aventurier. Partir à l'aventure seul est une entreprise hasardeuse. On n'est jamais trop de deux s'il arrive un malheur. Et puis ça fait le temps moins long. Et puis on se sent moins seul. Quelqu'un est là pour vous écouter raconter vos souvenirs autour du feu et le cas échéant il peut porter les sacs. Je m'ouvris l'après-midi même du projet de descendre la Seine à mon ami Samuel Adrian. Adrian est un bon garçon, avec deux bras solides et de la conversation. Lui aussi est aventurier depuis peu. Il était précédemment khâgneux, candidat malheureux aux concours de l'École normale supérieure puis employé des pompes funèbres. J'y reviendrai.

— En voilà une idée, dit Adrian. Quand partons-nous ?

Je fus pris de court. Je n'avais pas réfléchi à la question. Et quand je ne réfléchis pas, j'ai tendance à me précipiter :

— Fais ta valise et tiens ta langue, lançai-je d'une voix éclatante. Nous partons vendredi en huit !

Quelques heures plus tard, je retrouvai François Waquet au bar-tabac L'Étincelle, rue Saint-Sébastien, à Paris. Waquet n'est pas un aventurier en tant que tel. Il a pu lui arriver de brûler des feux rouges à vélo et, par deux fois, il a gravi la dune du Pyla, mais d'une manière générale la prise de risque n'est pas son fort et Waquet voyage aussi mal que le maroilles. Volontiers pleutre et résolument réfractaire à l'exercice physique, il serait plutôt ce qu'on appelle une tête bien faite. Je ne parle pas là de l'enveloppe mais de ce qu'elle contient. Waquet étudie le droit romain à la Sorbonne. De ce fait, il parle couramment latin et peut sans mal comprendre le grec ancien. Cela allait s'avérer, pour la suite de notre aventure, de la plus grande inutilité.

— Sais-tu où nous allons, Adrian et moi ? lui dis-je en ménageant mon effet.

— À la mer à la rame, répondit-il, heureux de me couper la chique sous le pied. Adrian m'a prévenu tout à l'heure. C'est une bien mauvaise idée. D'ailleurs je n'irai pas.

De quel droit se croyait-il invité ? S'il n'allait pas, c'est d'abord parce que je ne lui proposais pas et c'est ensuite parce que je l'en savais d'avance incapable. Waquet est un universitaire. Les universitaires ne vont pas à la mer à la rame. Ils prennent le métro aux heures de pointe, cela leur suffit bien. Mais c'est une manie chez Waquet : on s'ouvre d'un projet, on lui montre nos plans, il se figure qu'on lui tient la portière.

— Pas si mauvaise idée, répliqué-je sèchement.

Et je payai ma tournée pour lui faire voir combien ses petits jugements à l'emporte-pièce me passent bien au-dessus de la tête. Deux bocks plus tard, Waquet commençait déjà de trouver l'idée moins mauvaise. Au troisième bock, il était près de la trouver bonne et au quatrième bock, il consentit à nous accompagner. Je ne le lui avais toujours pas proposé.

— Grand fou, dit-il, en me tapant familièrement le dos. Tu as gagné, je pars avec vous. Ce sera l'aventure !

Que savait-il de l'aventure, lui qui n'avait jamais passé le périphérique sauf pour se rendre en vacances au Moulleau et dans le Morbihan ? Je réglai l'addition. Le recrutement de Waquet m'avait coûté quatre tournées. Avec le recul, je considère que c'était le prix.

2

De l'absolue nécessité de se procurer un canot pour canoter. – Négocier le prix d'un canot. – Slim Batteux et Véronique Sanson.

La première chose à faire, quand on entend pratiquer le canotage, est de se procurer un canot, un esquif, une chaloupe ou toute autre embarcation flottante à propulsion humaine. Sans cela, impossible d'arriver à rien.

— Nous n'avons pas de bateau, fit justement remarquer Adrian en ouverture de notre première réunion préparatoire.

Cette réunion se tenait dans le pavillon des parents d'Adrian, à Saint-Cloud, Hauts-de-Seine. Adrian débute dans l'aventure et il n'a pas eu le temps de se constituer un patrimoine en propre.

— C'est juste, rétorqué-je. Nous n'avons pas de bateau mais il ne tient qu'à nous d'en acheter.

Soudain animé, Waquet parla d'un cotre à trinquette et voile aurique dans la cabine duquel il avait eu l'occasion de monter l'année dernière au salon nautique de Mandelieu-La Napoule. Je n'ai aucune idée de ce que fichait Waquet au salon nautique de Mandelieu-La Napoule. J'ignorais d'ailleurs qu'il y eût un salon nautique à Mandelieu-La Napoule et aussi que la commune de Mandelieu-La Napoule existât. Vérifications faites auprès du préfet des Alpes-Maritimes, tel est effectivement le cas : Mandelieu-La Napoule existe et se porte bien. Ses habitants sont appelés les Mandolociens et Napoulois. Ils sont au nombre de douze mille. Le temps de prendre ces renseignements, mon attention revint à Waquet. On ne l'arrêtait plus. Pris dans son élan, aussi causant qu'un catalogue Beneteau, il parlait maintenant d'un ketch breton insubmersible, auto-videur et transportable, avec pont de promenade et bain de soleil. Quand il en eut fini, je lui rappelai l'état de nos finances, des siennes en particulier. Waquet me devait dix sacs, sans compter les tournées de l'autre soir.

— Exact, dit-il. Nous irons en barque. Une simple barque à fond plat. Ce sera l'aventure.

Au lieu d'une barque, ce fut un canoë. Un canoë datant de l'an 1987. Le canoë, ou *canoé*, également appelé *canot* au Canada et *canoë canadien* en France, est un type de pirogue légère non pontée, destiné à la navigation sur les rivières et les lacs. Un dénommé Yodabreton vendait le sien aux abords de la Marne. C'était dans notre région la troisième annonce disponible sur le site Leboncoin, et aussi la moins chère. Nous allâmes le trouver. « C'est ici », dit Yodabreton qui préférait qu'on l'appelât Jean-Philippe. Dieu que c'est triste un canoë encalminé ! Celui-ci était d'aluminium et de polyéthylène. Dix saisons de feuilles mortes en avaient rempli la coque. À l'ombre d'un saule, la mousse gagnait ses plats-bords, une bouée gisait à l'intérieur. Nous en avions le cœur noué.

— Cent cinquante euros avec les rames, dis-je à Jean-Philippe sans rien laisser paraître de mon émotion.

— Deux cents et je vous aide à le porter sur le toit de votre camionnette.

— Topons là, dit Adrian.

Et nous topâmes là.

Cela étant topé, Jean-Philippe n'aida pas à porter le canot sur le toit de la camionnette Dacia Logan, propriété des parents d'Adrian. Il alluma une cigarette et dit : « Savez-vous à qui j'ai acheté ce canoë ? » Puis, sans attendre de réponse : « À Slim Batteux. » Nous l'ignorions. De même ignorions-nous ce qu'était Slim Batteux – un être ou une chose. Le canoë pesait un âne mort, cela n'augurait rien de bon. La camionnette était stationnée à cent mètres.

— Vous ne connaissez pas Slim Batteux ? s'étonna Jean-Philippe. C'est un sacré musicien, un organiste. Il a joué avec les plus grands.

On s'efforcera dans ce récit de coller au plus près de la vérité. À cet instant précis, pour être tout à fait transparent avec le lecteur, mes hommes et moi nous foutions copieusement de ce que racontait Jean-Philippe. Il y avait encore quatre-vingts mètres à parcourir avec un canot sur le dos, alors son Slim-machin, il aurait pu se le carrer dans l'œil ou ailleurs, ça ne nous aurait pas chagrinés.

— … et, d'après ce qu'il m'a dit, Slim aurait acheté le canoë à Véronique Sanson.

Il y a des vessies qu'on prend pour des lanternes et du conditionnel pour de l'indicatif. Adrian posa brusquement le canot à terre et s'enquit :

— Véronique Sanson la chanteuse ?

— Véronique Sanson la chanteuse, répondit solennellement Jean-Philippe.

Et comme un silence s'installait, il ajouta :

— Enfin je crois…

Que l'homme y crût, cela nous suffisait. Au vrai, nous n'avions aucune raison de douter d'un compatriote, plutôt aimable de surcroît et arrangeant. Posséder un canoë ayant appartenu à Véronique Sanson ne présente pas d'intérêt en soi mais c'est un petit plus. Je connais un éditeur qui se flatte de posséder le robot mixeur de l'écrivain Michel Déon. Et mon ami Chris Esquerre, un autre aventurier, prétend que sa perceuse aurait appartenu à Sacha Distel…

Jean-Philippe ralluma son mégot, salua de la casquette et nous laissa comme trois ronds de flan. Voilà de quelle façon nous fîmes l'acquisition du canoë de Véronique Sanson. Véronique Sanson la chanteuse.

3

Le génie des hommes. – Leur paresse. – Le roi Merlin. – Gréer mâture à son canoë au moyen de colliers de serrage. – Du grand secours du scotch marron dans les travaux de tous les jours. — Euphorie. – Repos consécutif.

La pratique du canotage présente un inconvénient majeur : il est nécessaire de ramer pour avancer. Qui a ramé une fois dans sa vie sait combien il est pénible de ramer une deuxième fois, une troisième, une quatrième et ainsi de suite. Ramer est une activité rébarbative et passablement ennuyeuse. De plus, c'est fatigant. Pour comparaison, trottiner est moins fatigant je trouve. Surtout si on ne trottine pas trop vite et qu'on prend soin d'observer des pauses régulières. Telle est du moins mon opinion.

Mais le génie des hommes naît de leur paresse. Si l'homme primitif ne s'était pas lassé de marcher, il n'aurait jamais inventé la roue puis le cheval, la voiture à cheval et enfin la trottinette électrique pour adulte. Non plus l'avion à réaction qui lui permet chaque fois qu'il le désire de passer le week-end à Punta Cana. Cette vérité se confirma le surlendemain, comme nous allons le voir :

— Mes amis, dis-je en ouverture de la deuxième réunion préparatoire, il m'est venu une idée.

— Ah ? dit Adrian.

— Hé bé tiens donc, ajouta Waquet.

Je coupai court :

— Nous allons gréer mâture à notre canoë. J'ai pensé la chose et dessiné des plans. Nous irons demain faire les emplettes.

Le lendemain, à la première heure, celle de l'après-midi, nous allâmes au roi Merlin. Que les petits malins qui composent l'essentiel de mon lectorat se tranquillisent : j'écris « roi Merlin » à dessein. C'est une idée confusément admise dans ma famille qu'il existe un roi des bricoleurs dominicaux. Nous n'y croyons pas comme au bon Dieu mais presque. C'est un bon roi que ce Merlin, dit régulièrement mon grand-père avec le respect dû aux souverains. Répartis sur l'ensemble du territoire, le plus souvent en périphérie des villes, les magasins du roi Merlin sont remarquablement lumineux et hauts de plafond. Je les aime. On peut se garer devant. Il y a toujours de la place.

— Es-tu sûr qu'ils vendent ici des mâts ? s'enquit Adrian tandis que nous atteignions le rayon tringles et rideaux du roi Merlin de Bois-d'Arcy.

— Que vois-tu là grand malin ? répondis-je.

— Des tringles, mon petit pote. Et des rideaux. D'ailleurs nous sommes au rayon tringles et rideaux, c'est marqué là.

Adrian est bon garçon, je l'ai dit, mais il manque d'imagination.

— Regarde mieux, et tu verras des mâts, lui dis-je. Une forêt de mâts. Des mâts en acier satiné, en bois de frêne ou de chêne massif, des mâts d'un mètre, de quatre et de huit, avec ou sans œillets… Plus de mâts, mon vieux, que tu ne pourras jamais t'en figurer.

— Prodigieux ! dit Waquet en s'emparant d'une grappe de tringles extensibles chromées-brossées, vendues avec supports de fixation et embouts trompettes ajourées en laiton. Je n'aime pas le laiton. Je n'ai jamais aimé le laiton. Ça me regarde et on n'est pas sommé de justifier le moindre de ses goûts. Surtout, il ne m'apparaissait pas crucial de s'encombrer d'embouts trompettes sur un canot, lesdits embouts trompettes fussent-ils en laiton. Je leur dis :

— Mes frères, restons simples. Choisissons le mât le plus solide, le plus sobre, le moins cher et tirons-nous en vitesse.

Une demi-heure plus tard, nous passions en caisse avec un mât premier prix en acier, une lime pour l'ébarber à sa base, deux colliers de serrage, un pot de peinture blanche et des chewing-gums repérés par Waquet sur le présentoir du tapis roulant.

— Pourquoi la peinture blanche ? demanda

ce même Waquet sur le trajet du retour… Puisque notre canot est vert.

— T'occupe, dis-je.

Et, levant les yeux au ciel, Waquet vaqua.

Rendus dans le garage des parents d'Adrian où le canot était entreposé, nous fixâmes le mât à l'armature au moyen de la lime et des colliers de serrage. On destine habituellement les colliers de serrage aux travaux de plomberie mais rien n'interdit que je sache de les utiliser pour fixer une tringle à rideau sur un canoë. Du reste, comme dit le cardinal de Retz, il y a très loin de la velléité à la volonté, de la volonté à la résolution, de la résolution au choix des moyens, du choix des moyens à l'application.

Au bout du compte, le mât branlait un peu. Il branlait suffisamment pour que la chose fût alarmante mais pas assez pour nous faire retourner à 17 heures passées au roi Merlin de Bois-d'Arcy. D'un commun accord, nous convînmes que cela branlait un peu, certes, mais pas tellement non plus et qu'à pinailler toute la sainte journée nous risquions de ne jamais appareiller. « De plus, déclara Waquet, demain il fera jour. » Le problème du mât étant réglé, il nous restait à trouver la voile. Dans le fond du garage, Adrian avisa un vieux rideau de douche roulé en boule. « Et voilà notre voile », dit-il joyeusement. Légère et souple, la toile, à peine tachée d'huile, semblait étanche au vent hormis deux ou trois trous que Waquet s'empressa de colmater au scotch marron. On ne dit pas assez l'importance du scotch marron dans les menus travaux de tous les jours. Il rend d'extraordinaires services. C'est simple : le scotch marron peut à peu près tout. « Nous embarquerons un rouleau de scotch marron », dis-je à l'approbation générale. « Et même plusieurs ! » renchéris-je, soulevant l'enthousiasme d'Adrian et Waquet :

— Du scotch, quelle bonne idée !

— Et marron en plus ! Adhésif et haute résistance ! Hip, hip…

— Hourrah !

Après quoi nous allâmes nous reposer.

4

Troisième réunion préparatoire. – Le coup de l'étrier. – Où l'on voit que les chapitres les plus courts ne sont pas les moins bons.

Au cours de la troisième réunion, il était justement prévu d'établir la liste des instruments et provisions à embarquer sur notre bateau. Je traçai sur une feuille deux grands traits verticaux qui partageaient l'ensemble en trois colonnes. La première colonne était destinée aux fournitures indispensables : sac de couchage, hamac, gourde, déodorant, réchaud à pétrole, couteau-scie, briquet, tente, scotch marron, etc. Dans la deuxième colonne devaient figurer les équipements d'importance moindre mais bien pratiques cependant. Exemple : une manique en peau de castor pour tirer la casserole sans se brûler, des allume-feu à utiliser en dernier recours, une corne de brume en cas de brume, un nécessaire de pique-nique, une canne d'excursion, etc.

Dans la dernière colonne enfin, il était prévu d'intégrer les gadgets tels que mon lance-pierre et le banjo d'Adrian, rigoureusement inutiles mais déterminants au point de vue du charme qu'ils confèrent à l'aventure. Il était prévu que cette dernière colonne ne dépassât pas en longueur les deux autres.

« Et si vous commenciez par me goûter ce petit chablis », proposa Waquet. Nous goûtâmes le petit chablis, après quoi nous le goûtâmes encore afin d'être sûrs. La bouteille finie, Adrian suggéra de tremper les lèvres dans un petit pommeau qu'il tenait de son frère Pierre. La bonbonne de petit pommeau fut liquidée dans l'heure suivante. La réunion prit fin un peu plus tard, après que nous eûmes liché un petit vin d'Alsace et convenu de nous revoir le surlendemain.

5

Le sens du courant. – Étude et documentation. – Se méfier des libraires goguenards et le cas échéant les prendre en grippe. – Informations relatives au débit de la Seine. – Faune, flore et bactéries *E. coli.*

Quand on entreprend de descendre un fleuve ou tout autre cours d'eau, il est important de se renseigner sur le sens du courant. Rien de plus désagréable que de ramer plusieurs semaines pour s'apercevoir finalement qu'on marche à contresens. Remonter un fleuve à sa source n'est pas dénué d'intérêt mais c'est nettement plus dur et souvent décevant : le fleuve devient rivière qui devient ruisseau, puis ruisselet puis ru et enfin filet d'eau. Il faut abandonner le canot et finir à pied. Ce n'était pas notre projet.

D'une manière générale, on n'accumule jamais trop de renseignements. C'est pourquoi j'ai pris l'habitude avant chaque expédition de me fournir en documentation. Il y a rue Saint-Louis-en-l'Île, à Paris, une adresse bien connue des voyageurs : la librairie Ulysse. Elle est si pleine de livres qu'on risque à tout instant d'y périr enseveli. Georges Moustaki le chanteur habitait l'étage au-dessus de la librairie mais ça ne concerne en rien la suite de notre aventure. Je commençai par me procurer une carte de navigation fluviale ainsi libellée : « Carte de la Seine de Paris à la mer par le canal de Tancarville. Échelle 1/40 000. Nouvelle édition ». L'achevé d'imprimer datait cette nouvelle édition de 1947.

— De toute façon vous ne pourrez pas vous perdre sur le fleuve, il n'y a qu'à se laisser couler c'est tout droit, dit goguenardement le libraire.

Je connais cette théorie mais je n'aime pas beaucoup les libraires goguenards. On demande à ces gens-là de nous procurer des ouvrages et non de se laisser aller à des commentaires idiots. Et d'abord que ce monsieur savait-il de la descente d'un fleuve à la rame ? L'avait-il descendue, lui, la Seine ? Non, bien entendu. J'ai pour principe de ne me fier qu'aux personnes expérimentées car ce sont elles qui en savent le plus long. On ne demande pas à un évêque comment se font les enfants, par exemple. Cela dépasse si j'ose dire son domaine de compétence. De toute manière je n'avais rien demandé au libraire. Et je sais comment se font les enfants. Du moins dans les grandes lignes.

Pour le cas où ça vous intéresse, la Seine coule d'amont en aval et selon un débit variable.

L'intensité du débit, c'est-à-dire la quantité de fluide fournie en un temps donné, ne doit jamais être négligée. S'il se trouve des rapides sur votre fleuve, vous devez le savoir et vous équiper en conséquence. La Seine, en l'occurrence, ne compte pas le moindre rapide et son débit aux premiers jours du mois d'août atteint péniblement cent mètres cubes par seconde. Cela équivaut en surface à un courant d'un kilomètre par heure.

Les manuels scolaires nous l'apprennent, la Seine prend sa source sur le plateau de Langres et se jette dans la Manche. Relativement rectiligne jusqu'à Paris, elle observe ensuite d'inexplicables détours et circonvolutions que les géographes appellent pompeusement des méandres. Mon grand-père, celui qui croit au roi Merlin, a une explication là-dessus. Il prétend que la Seine zigzague après Paris car elle est saoule d'avoir traversé la capitale. Cela n'a jamais été prouvé. Reste que ces méandres allaient nous compliquer la tâche. À vol d'oiseau, Paris n'est distant du Havre que de 178 kilomètres. Par voie d'eau, l'addition grimpe à 360 kilomètres. Le double…

Un dernier mot au sujet de l'étude préparatoire. Il peut être avantageux de se renseigner, au moins sommairement, sur la faune et la flore des territoires traversés. La faune en particulier. Dans le milieu qui nous intéresse, les eaux de la Seine, ce sont essentiellement gardons, ablettes, brèmes, carpes et une quantité importante de plastique allant du coton-tige commun à la calandre de Renault Fuego. Évoluent également dans la Seine des bactéries de type *E. coli.* Ces bactéries ne se voient pas à l'œil nu mais elles n'en sont pas moins redoutables. Si on peut sans risque se baigner dans le fleuve, il est fortement déconseillé de boire la tasse.

6

Prise de pouvoir et distribution des assignations. – Les aventuriers et leur maman. – Homme libre toujours tu chériras ta mère. – Baptiser son embarcation. – Sainte Lydie et le concept de ventilation narrative.

Au cours de notre quatrième et dernière réunion, j'avertis mes hommes que je serais leur capitaine. Aussi bien j'aurais pu me nommer amiral ou lieutenant de vaisseau, mais nous possédions un canot et je ne voulais pas risquer de sombrer dans le ridicule. En outre, l'abus de galons dessert l'autorité. Mieux vaut demeurer au plus proche de ses hommes et s'en tenir à une ou deux barrettes supplémentaires. Un conseil : ne jamais porter d'épaulettes quand on n'a pas les épaules. Ainsi donc je serais capitaine et par voie de conséquence Adrian et Waquet mes matelots. Occupé à se curer les ongles à la pointe de son opinel, le premier prit la chose avec indifférence. « Cela signifie que tu seras le chef ? » demanda le second après quelques minutes de réflexion. « En quelque sorte », dis-je.

Waquet ne l'entendait pas de cette oreille. « Si tu es capitaine, alors je suis vice-amiral d'escadre, grand timonier ou major. » Comme on le voit Waquet n'a aucune connaissance des grades en vigueur dans la Marine, mais il exigeait un titre. Cela ne valait pas la peine de le contrarier. « Va pour major », dis-je. « Quant à toi, Adrian, je te nomme quartier-maître écopier, en charge d'éliminer le surplus d'eau s'il en vient dans notre coque. Tu iras demain en ville nous acheter deux écopes. »

À cet instant mon téléphone exécuta les premières mesures des *Quatre Saisons* de Vivaldi. C'était ma mère, celle par qui j'étais venu au monde et dont j'étais le fruit des entrailles et la chair de la chair. Ma mère donc.

— Que puis-je pour toi ? m'enquis-je en décrochant.

— Ne pas couler, répondit-elle froidement. La mère Adrian m'a détaillé votre projet. C'est intelligent, bravo. Je te préviens, conosaure, si tu te noies tu vas m'entendre.

Et sa chair de ma chair mit fin à la communication. Les aventuriers ne font généralement pas grand cas du souci de leurs parents. La désobéissance est le premier jalon de l'aventure et l'aventurier ne va pas plus loin que la haie du jardin s'il obéit à sa maman. D'ailleurs aucun aventurier ne parle jamais de sa maman. On dirait qu'ils sont tous orphelins. Mon œil ! Les aventuriers ont des mamans, eux aussi, et qui se font du mouron. Combien de litres de sang d'encre ont dû se faire les mamans de Magellan, Marco Polo ou Mike Horn ? De quoi transfuser l'armée russe à mon avis. C'est pourquoi je me fis ce serment : à défaut d'être un bon fils, je serais comme un père pour mes hommes. « Vas-tu te grouiller un peu oui ou merde ? » demanda le major qui tenait la voile à bout de bras pour que j'y fixe l'antenne de notre mât. « L'ingratitude la plus commune et la plus ancienne est celle des enfants envers leurs pères », dit l'aphoriste Vauvenargues.

⁂

Le 2 août, nous fûmes fin prêts. Le canot lessivé avait retrouvé son beau vert anglais. La voile hissée flottait au vent dans le jardin des parents d'Adrian qui vit encore chez ses parents. « Si le vent souffle sur la Seine comme dans ce jardin, dis-je, nous serons au Havre avant la fin de semaine. » C'était une façon de parler bien sûr, mais nous avions un bateau et, dès lors, tout devenait possible. « Oui nous avons un bateau », me répétais-je. « Nous avons un bateau. » Et ces mots-là, ces simples mots, me gonflaient le cœur de joie et d'orgueil.

Restait à le baptiser. Les gens qui possèdent un bateau hésitent toujours sur le nom à lui donner alors qu'il n'est au monde rien de plus simple. Connaissant mes hommes et leur goût pour le dissensus, j'omis sciemment de mettre le nom du bateau sur la table. Ils auraient à coup sûr trouvé mille moyens de ne jamais tomber d'accord. Je décidai que je serais seul à décider. Après tout j'étais capitaine. Quand notre dernière réunion eut pris fin, et tandis que l'équipage allait se coucher, je prétextai avoir oublié quelque chose au canot. En vérité je n'avais rien oublié et tirai de sa cache le pot de peinture blanche. Dans la demi-pénombre, au pinceau et de ma plus belle écriture, j'écrivis les lettres « B », « A », « T », « E », « A », « U » sur le flanc de notre bateau. Ce ne fut pas plus long que ça. Au matin la peinture serait sèche et notre canoë s'appellerait définitivement *Bateau*. C'était un joli tour que je leur jouais là.

Le départ fut fixé au lendemain, jour de la Sainte-Lydie. Patronne des marchands et des commerçants, Lydie était négociante en pourpre à Philippes, en Macédoine, aux environs des années 50 après Jésus-Christ. Initialement Juive grecque, elle s'attacha Dieu sait pourquoi aux paroles de l'apôtre Paul. Mal lui en prit. Jetée en prison avec son époux Philétas, ils furent torturés sur le chevalet. Mais rien n'y fit. Malgré le professionnalisme du bourreau, Lydie et Philétas n'en finissaient pas de mourir. Devant tant de courage, le juge se convertit, après quoi les époux et le juge furent jetés dans un chaudron d'huile bouillante. Le chaudron ne se convertit pas et ils décédèrent. En dédommagement de leur peine, Lydie et Philétas devinrent bien des années plus tard sainte et saint, ce qui force le respect.

Ce type d'intermède, j'en conviens, n'apporte rien en tant que tel au développement du récit mais il constitue de ces respirations qui rendent supportables la lecture des romans d'aventures. On trouvera dans le commerce des romans d'aventures à couper le souffle. Dès les premières pages, le lecteur est pris à la gorge. C'est haletant, d'accord, mais asphyxiant à la longue. À mon sens, l'aventurier doit garder ceci à l'esprit : les gens qui le lisent mènent le plus souvent une existence morne et routinière en comparaison de la sienne. Ils se lèvent à heures fixes, écoutent les prévisions de Laurent Cabrol, se rendent au travail, essuient les remontrances d'un chef de service, déjeunent à la cantine et couchent tous les soirs dans le même lit, quel ennui. Leur cœur n'a pas l'habitude de battre la chamade. Il convient de ménager ce lecteur, de lui réserver des temps calmes qu'on appelle entre nous *ventilations narratives*. Sans quoi celui-ci s'essouffle, perd haleine, suffoque et meurt parfois. Par conséquent je serai dans les pages qui suivent économe en rebondissements.

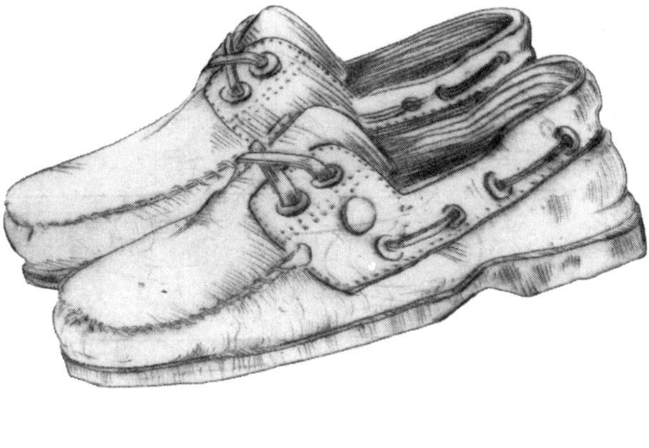

FIG. 1. – Paire de chaussures bateau en 43.

7

Le grand départ. – Premier coup de rame. – Première écluse. – Première péniche. – Les manquements de l'écopier. – L'esprit d'initiative du major. – Bouquet d'odeurs sur la ligne 13 et ailleurs.

Le lendemain, sitôt qu'il fit jour, avant même, nous partîmes dessous le pont du Point-du-Jour, qu'on appelle aujourd'hui Garigliano.

— Vous y êtes, messieurs ? demandai-je.

— Nous y sommes, répondirent-ils en chœur.

Et avec Adrian et moi-même aux avirons, et au centre Waquet, mal à son aise et plein de méfiance, nous nous élançâmes sur ces eaux qui deviendraient notre demeure pour de longs jours.

Avant de prendre trop de vitesse, attardons-nous un instant sur le canot en question. J'ai dit qu'il aurait appartenu à Véronique Sanson la chanteuse. Je n'ai pas dit en revanche qu'il mesurait quatre mètres dans sa longueur pour une largeur au maître-bau de quatre-vingt-cinq centimètres. Je n'ai pas dit non plus que le Coleman 13 est conçu pour accueillir deux individus et non trois. Sur ce point la notice du constructeur est formelle. Jean-Philippe, rendons-lui honneur, avait attiré notre attention là-dessus mais, tout à notre joie d'acheter un bateau, nous l'avions jugé rabat-joie. À présent il apparaissait que nous allions au-devant de difficultés réelles. Au cours d'une discussion, Adrian et moi-même avions établi que le troisième homme, l'homme *superfétatoire*, se tiendrait bien calme, au centre de l'embarcation, à califourchon sur un bidon. Cet équipier ne ramant pas, il devrait en outre se tenir dos au sens de la marche pour des questions d'ergonomie un peu longues à expliquer. Cette place était naturellement dévolue à Waquet mais nous n'excluions pas de procéder à des roulements.

Un premier coup de rame, un second. Rapidement nos gestes se coordonnèrent. Le canot s'engageait dans les passes sans écueil ni charme de Billancourt, frayait en silence et surface, longeait Sèvres et sa manufacture puis passait l'aqueduc de l'Avre. À ma grande satisfaction, *Bateau* semblait décidé à flotter. L'assiette, qui concerne l'équilibre transversal d'une embarcation, était bonne en dépit de notre surcharge pondérale, Waquet pour ne pas la nommer. Ce dernier, croyant détendre l'atmosphère, entreprit d'entonner le *Kyrie Eleison* sur l'air d'« Il est cocu le chef de gare ».

— Moins fort, lui enjoignit Adrian, nous allons être repérés.

Disons-le tout net, s'il n'est pas formellement interdit de descendre la Seine à la rame sur un canot à voile cela n'est pas très autorisé non plus. On voit des canotiers sur la Marne, la Loire ou les lacs du bois de Boulogne, mais plus rarement sur les eaux de la Seine. Cela s'explique aisément. Parce que la Seine est sale, d'abord, et pâtit d'une exécrable réputation. Parce que la Seine est industrieuse ensuite, et qu'il y défile en tous sens des péniches et des bateaux-mouches qui ne s'embarrassent pas de ralentir à votre hauteur. En d'autres termes, la Seine n'est pas *prévue à cet effet.* Mais n'est-ce pas cela que l'aventure : quitter les rails et mordre la ligne blanche, sauter les barrières, voyager où l'on ne voyage pas ? Réponse : oui.

Du reste, nous approchions déjà l'écluse de Suresnes, où se repêchent habituellement les noyés, en particulier en juin et septembre qui sont les mois de prédilection des suicidés. Plus loin, les tours du quartier de la Défense miroitaient dans le levant.

Au fond de la Seine, il y a de l'or,
Des bateaux rouillés, des bijoux, des armes…
Au fond de la Seine, il y a des morts…
Au fond de la Seine, il y a des larmes…[1].

1. *La Complainte de la Seine* (musique de Kurt Weill sur un poème de Maurice Magre), créée par Lys Gauty en 1934.

C'était la première aube, d'une beauté saisissante. Les reflets irisés de la tour Areva, le chatoiement de la tour Initiale (ex-tour Nobel), la rosée d'aurore au sommet de la tour Gan Eurocourtage... Il suffit de peu de choses, d'un seul rayon parfois, pour enluminer un paysage et dorer à la feuille les plus hideux panoramas. Soudain nous vîmes se profiler une péniche. À sa proue était peint : « Mohicans ». C'était la première péniche que nous avions à croiser. « La première des Mohicans », s'écria Waquet, heureux de sa trouvaille.

Je redoutais les remous des péniches. J'en avais fait part à mon équipage avant le départ, les priant de travailler leur déhanché. Sur un canoë, tout est question d'équilibre et de coordination. L'étrave de *Mohicans* fendait les flots à la vitesse de quatre nœuds environ (7 kilomètres par heure) et nous attaquâmes sa vague de trois-quarts, comme le prescrivent les manuels de canotage en eau vive. À la une et à la deux, nous réalisâmes tous trois un *chaloupé synchronisé* qui est une figure empruntée à la rumba congolaise. Les remous assouplis vinrent caresser notre timide vaisseau. « Si ce n'est que ça ! » s'exclama Adrian. Ce n'était pas que ça. La vague de poupe fut plus coquine et *Bateau* prit l'eau dans des proportions que je qualifierais de préoccupantes. Il faut toujours un peu d'eau dans le fond des embarcations : cela en assoit la stabilité et rafraîchit les pieds.

Quand cela rafraîchit aussi les mollets, il est temps d'agir.

— Adrian, dis-je, passe-moi donc l'écope.

Adrian ne put répondre favorablement à ma requête.

— J'ai oublié l'écope, dit-il simplement.

À cet instant précis, je sus que notre croisière ne serait pas un long fleuve tranquille. Qu'on y verserait des larmes, de la sueur sans doute, et du sang peut-être.

Contre toute attente, Waquet nous tira d'affaire. Le major avait choisi de s'engager dans l'aventure chaussé d'une paire de bateaux flambant neuve (*figure 1*). Retirant ses souliers, il commença d'écoper frénétiquement notre canot *Bateau* avec ses chaussures bateau, ce qui est astucieux, et même plutôt piquant pour qui aime les jeux de mots et ne fait pas trop le difficile.

Jusqu'alors, j'entretenais des rapports d'inimitié avec les bateaux, ces chaussures de cuir épais qui fleurissent sur les parvis d'église de la banlieue ouest aux environs de la messe des Rameaux. J'ai mes raisons pour cela et, puisque le sujet vous intéresse, détaillons-les ensemble.

L'odeur d'abord. L'odeur au-delà de tout. Cette odeur que les chaussures bateau dégagent sitôt qu'on les ôte. Il est d'usage de porter les chaussures bateau sans chaussettes. C'est à mon sens une faute lourde. J'ignore si l'épaisseur des semelles gomme ou l'étanchéité du cuir de veau nubuck est en cause mais tout corps plongé dans une chaussure bateau sue invariablement à gros bouillons. Le pied macère et il s'en dégage des effluves insoutenables.

Usager régulier de la ligne 13, j'ai eu à respirer quantité de senteurs et je connais des aisselles qui réveilleraient le soldat inconnu. Mais aucune de ces expériences douloureuses n'égale celle qu'il me fut donné de vivre dans un wagon de train Corail, il y a de cela quelques années. La fortune avait voulu que je partage le compartiment d'une patrouille de boy-scouts, retour d'un camp de trois semaines dans le Morvan. À mi-parcours, leur chef s'était cru autorisé à laisser respirer un peu sa voûte plantaire hors de la tige de ses chaussures bateau. Je perdis connaissance peu après. En gare de Paris-Bercy, on dut me porter sur le quai. Les scouts avaient filé, naturellement. Je déposai dans la foulée une main courante au commissariat de l'avenue Daumesnil. À ce jour, l'enquête n'a rien donné[1].

Cela étant, à 7 h 50 du matin, Waquet n'avait pas encore eu le loisir de transpirer et l'odeur n'eut d'aucune façon à m'indisposer. Je sais ce que vous pensez. Vous vous dites : « En voilà bien des simagrées pour une odeur de pied. Est-ce digne d'un aventurier de se plaindre de l'odeur de pied d'autres aventuriers ? » Je ne partage pas cette façon de voir les choses. Devrait-on renoncer à tout raffinement au motif que nous autres

1. Depuis lors, chaque fois que je croise l'un de ces petits merdeux en chapeau 4-bosses, je ne manque jamais de lui claquer le beignet. Il paye pour ses frères scouts.

aventuriers traversons le monde et risquons notre vie aux confins ? Aucune circonstance ne commande aux gentlemen de se réduire à l'état de porc. Où que j'aille (traversée du Gobi, parcours de santé au bois de Cucufa, trek andin, etc.), je me parfume à l'eau de Cologne et porte des chaussettes propres. Ces égards me permettent d'entretenir les meilleurs rapports avec les populations indigènes. Je me découvre devant le guerrier bantu et présente mes hommages respectueux à son épouse, ainsi qu'on le ferait dans n'importe quelle réunion mondaine. Je ne vois aucune raison de perdre ses bonnes habitudes au prétexte que votre interlocuteur porte un étui pénien. Ce sont là ses us, ses coutumes, et il convient de les respecter.

À hauteur de Neuilly, nous vîmes se profiler la proue d'une seconde péniche, plus imposante que la précédente. Waquet ne s'était pas rechaussé, il écopa encore. Une dizaine de minutes plus tard, il prit à ce même Waquet, toujours lui, l'envie de casser la graine. Nous verrons que cette envie lui vient très régulièrement. Après avoir fouillé le canoë en tous sens, remué les sacs, vidé les besaces et inspecté le moindre bidon, le major eut la conviction d'avoir oublié son sandwich à quai. Un sandwich rosette-beurre à sa façon, qui est d'après lui la meilleure. Cela le contraria beaucoup. Il voulut nous convaincre de faire demi-tour, ce à quoi je m'opposai fermement. Je ne reçois pas d'ordre d'un simple major et encore moins sur le cap à tenir.

— Tut-tut, dis-je. Prends ton mal en patience et ne fais pas l'enfant.

En se levant pour m'attraper le col et me communiquer sa façon de penser, Waquet s'aperçut qu'il était assis sur son sandwich et la tension retomba d'un cran. Mais cela lui avait coupé l'appétit, au moins provisoirement. Il laissa le sandwich en évidence sur ses genoux et lui accorda un sursis.

8

L'épisode des cygnes.
Temps fort de l'aventure.

Après l'épisode de la péniche, puis celui de la seconde péniche, et l'épisode du sandwich du major, survint dès les premières heures de cette aventure un quatrième événement d'importance. Le genre d'événement qui me fait penser que le lecteur n'est pas près de s'ennuyer. Dès les premières heures, donc, à hauteur de Courbevoie, longeant par tribord l'île de la Grande-Jatte, nous aperçûmes un cygne, bientôt rejoint par un autre cygne. Autant vous le dire tout de suite, je hais les cygnes de tout mon être : ils sont l'espèce animale la plus sotte qui soit, et aussi la plus fière. Il n'y a vraiment pas de quoi. Si j'étais un cygne, Dieu m'en garde, je ne la ramènerais pas. Au moins les pigeons, que je n'aime pas beaucoup non plus, font-ils profil bas. Les cygnes, non. Très soigneux de leur personne, ces vaniteux volatiles gardent en toutes circonstances la tête haute. Une toute petite tête d'ailleurs, vide sans doute et qui ne me revient pas. Comprenons-nous, je ne hais pas la race des cygnes en général, mais chacun d'eux en particulier. Ils sont la lie des palmipèdes.

Tandis que nous ramions, je vis donc venir ces détestables spécimens de la pire espèce. Ils étaient deux, cela a été dit, et nous étions trois. Waquet leur tournait le dos, il ne vit rien du danger qui guettait. Les cygnes se tenaient à dix ou douze mètres maintenant. Le plus hardi s'approcha encore, contourna *Bateau* et tenta de nous prendre à revers. Par une pulsion que j'ai du mal à interpréter, j'attrapai la première chose qui me vint sous la main et la jetai à l'eau. Il s'agissait du sandwich rosette-beurre de Waquet. Que n'avais-je pas fait là ! Pour un pauvre morceau de pain, alors que je venais de nous faire éviter le pire en détournant l'attention de l'oiseau, le major se mit dans tous ses états, soi-disant que j'étais complètement con et d'autres mots grossiers que je n'ose même pas répéter. Surtout, et c'est ce qui me contraria le plus, il insinuait que j'avais peur des cygnes alors que, petit 1, ce n'est pas la question ; petit 2, je n'ai pas peur des cygnes je les trouve simplement bêtes et dangereux. Et quand bien même j'aurais peur des cygnes, ce qui est évidemment faux, on n'allait pas faire tout un plat pour un malheureux casse-croûte. D'ailleurs j'offris à Waquet de partager mon rillettes-mayonnaise, acquis à grands frais dans une boulangerie de quartier. Le major, hors de lui, tira aussitôt mon sandwich de son sachet avec l'intention ferme de ne rien partager du tout. Un bon chef doit, pour garder le contrôle de ses troupes, savoir passer l'éponge. Je décidai de sauter un repas. Ainsi prend fin l'épisode des cygnes, qui sont décidément des sales bêtes haïssables. Je les déteste[1].

1. Il y a cependant un moyen de rendre bons les cygnes. C'est en pâté. Imbibé de lard fondu et accompagné de haricots, le cygne peut se révéler appréciable. Mais cru et animé, sur terre comme sur l'eau, rien à tirer de cette bestiole-là. À propos avez-vous déjà vu un cygne tenter de s'envoler ? C'est absolument risible.

9

Le déjeuner des canotiers. – Un canoë nommé *Orphée*. – Du sens de l'humour chez les aventuriers. – Intendance. – Mythe d'Icare. – Bivouac sur l'île Corbière. – Notes instructives sur l'importance de l'hygiène en voyage et dans la vie en général.

Au-delà d'Asnières et son cimetière aux chiens, changement à vue. La Seine opère une courbe et quitte les communes à fort pouvoir d'achat pour de moins verts pâturages. Voici Clichy, Saint-Ouen et Saint-Denis, dont l'antique basilique abrite les ossements de nos rois de France. Le grand poète Jean-Jacques Rousseau prenait villégiature non loin, dans les ombrages de Montmorency, « lieu solitaire plutôt que sauvage », et doué de beautés champêtres « qu'on ne rencontre guère auprès des villes ».

— Capitaine, demanda Waquet tandis que nous longions le magasin Brico-Dépôt de

Villetaneuse, t'est-il arrivé de douter que nous n'arrivions jamais à la mer ?

Un drôle de petit frisson glacé me parcourut le dos.

— Que veux-tu dire par là ? dis-je en me gardant de croiser son regard.

— Eh bien, c'est que nous ramons depuis le matin et vous êtes déjà cuits. *Bateau* se traîne comme un veau, Adrian a oublié l'écope, mon sandwich est à l'eau et aucun d'entre nous n'apprécie foncièrement les deux autres.

Il y avait du vrai dans ce que disait le major.

— Quand tu verras où nous allons déjeuner, dis-je, tu t'en trouveras ragaillardi. Et d'une voix devenue hésitante, mais que soutenait le sentiment des convenances, je balbutiai : Patience, mon bon Waquet, patience, nous touchons au but.

Il y avait du faux dans ce que je disais au major. Nous ne touchions pas au but, loin de là, et je commençais à douter. À douter non de la réussite de notre expédition – je ne voyais pas si loin – mais de notre déjeuner. Un aventurier de mes relations nous attendait au restaurant de la Grenouillère.

« *Ce qui serait bath,* m'avait écrit Sylvain Tesson la semaine précédente, *c'est de vous apporter un panier de cochonnailles à Chatou quand vous y passerez. On pique-niquerait devant l'île des impressionnistes, là où venaient Tourgueniev et Maupassant. Ainsi tout le monde saura que la jeunesse rame. Je t'embrasse mon petit vieux, en espérant saluer les valeureux canotiers vendredi. Mes bons saluts, respects cordiaux, considération distinguée, etc.* »

On s'étonnera sans doute qu'une sommité de l'aventure s'adresse en des termes aussi familiers à un aventurier tiers, de notoriété moindre, mais qui pourrait bien un jour lui faire de l'ombre. C'est ainsi : nous autres explorateurs ne pouvons réprimer une estime mutuelle et il règne entre les aventuriers une grande fraternité.

J'avais rencontré Tesson cinq ou six ans plus tôt, à l'occasion d'une parade des écrivains de marine en baie de Toulon. Le journal qui m'employait en qualité de stagiaire m'avait prié de couvrir l'événement et j'y avais consenti. Avec un entrain somme toute mesuré, j'avais pris le rapide à la gare de Lyon et me trouvais quatre heures plus tard à écouter d'une oreille distraite les discours du maire, de l'adjoint à la culture, de la sous-préfète, du délégué aux affaires maritimes, de la secrétaire générale des écrivains de marine et du directeur de la médiathèque. La chaleur était accablante. Une chaleur de caramel mou. Je décidai d'opérer un repli dans la région du buffet de verrines, à l'extrémité orientale de la pièce. Officiellement le buffet n'ouvrait pas avant le terme des discours mais j'invoquai des raisons d'ordre médical et le préposé aux verrines, dans sa grande mansuétude, m'offrit d'être servi le premier. S'il vous est un jour donné la chance d'être invité dans un cocktail, je vous recommande de traiter le personnel avec amabilité et considération. Ce sont des gens qui peuvent se montrer de la plus grande susceptibilité si vous ne leur accordez pas les égards qu'ils s'imaginent mériter. Tesson avait repéré mon manège. Les réceptions ne sont pas son truc, je crois qu'il s'ennuyait aussi. Sous je ne sais quel prétexte, il s'extirpa d'un petit groupe et vint se planter devant moi. « Prends ton manteau mon garçon, nous dévissons. » Je considérai un instant cet inconnu. Il avait l'œil clair et le cheveu fou, un front de grand homme et des lunettes de secrétaire médicale. Avec ça un charisme ! Je n'étais pas moi-même aventurier en ce temps-là mais, s'il me l'avait demandé, je l'aurais suivi je crois en Seine-et-Oise ou au Kamtchatka. « Juste le temps d'un petit tour, dit-il au capitaine de frégate Olivier Frébourg qui s'inquiétait de son départ. J'emmène cet enfant se dégourdir les jambes. Il en a grand besoin, jugez comme il est pâlot. » On ne nous revit pas. Dans le quartier de l'Arsenal, autrefois connu sous le nom de *Chicago*, nous fîmes la tournée des rades de marins. La nuit était venue, une nuit à coucher dehors. Au matin Tesson me remit dans le train. Notre bordée nous avait liés, il me conservait depuis ce jour son amitié.

Quinze heures approchaient quand nous atteignîmes enfin les rives du château de la Grenouillère. Averti de notre arrivée imminente, Tesson se tenait sur le débarcadère. Lorsqu'il vit poindre notre canot, sa tringle et son rideau de douche, il réprima un sourire. « Vous avez fière allure », dit-il, sans que je puisse déterminer avec précision la proportion d'ironie.

— Se moque-t-il ? demanda Waquet à mi-voix.
— C'est possible, dis-je.
— C'est probable, ajouta Adrian.

Tesson saisit le bout que nous lui jetâmes et d'un tour de main nous arrima. On le sait, Tesson a une certaine expérience de l'aventure et déjà quelques barouds à son actif. Aux quatre coins du globe il a mené campagne, à ski, à cheval, en voiture, en motocyclette ukrainienne et en Pataugas. Ce qui nous semblait la grande aventure – rejoindre la mer à la rame – n'était pour lui qu'une promenade de santé, une goguette, une balade à deux couplets, un pique-nique en Bavière… Mais il n'en laissa rien paraître.

— Chers braves, dit-il en désignant son père, je vous présente mes parents ou ce qu'il en reste. Et ceci est ma sœur Stéphanie. L'autre sœur n'est pas venue, elle est en couches et vous prie de l'excuser. À présent allons nous restaurer.

— Voilà qui est bien parlé, dit Waquet, dont la moustache reprenait des couleurs.

Je le pensais aussi. C'est un homme du calibre de ce Tesson qu'il eût fallu à bord. J'accrochai mon bâchi à la patère. Les plats ne tardèrent pas à venir. Un repas de fort belle facture : des œufs meurette en hors-d'œuvre et une entrecôte à la béarnaise, accompagnée de haricots beurre en persillade. Le père et la sœur nous envisageaient en silence. Nous semblions n'avoir pas mangé depuis cinq jours. Quand nous eûmes liquidé l'entrecôte, on nous fit raconter notre matinée de canotage : les écluses, les portages, les péniches, leurs vagues immenses et le péril que nous avions couru pour en arriver là, à cinq kilomètres à vol d'oiseau de notre point de départ. Devant l'auditoire attentif, j'allais relater l'épisode des cygnes quand le père de l'aventurier, nous jugeant bien sympathiques et parfaitement inaptes à rejoindre l'embouchure par voie d'eau, murmura dans l'oreille de sa fille :

— Cela ne fait rien, ils auront au moins essayé.

Outre que ce murmure s'entendit trois tables à l'entour, je goûtais assez peu qu'on usât devant mes hommes du futur antérieur pour mettre en doute le succès de l'expédition. Il est certaines offenses qu'on ne peut tolérer. C'est une question d'honneur. Waquet interrompit la manducation de sa tarte Tatin pour ne rien perdre de la scène. Allais-je entrer dans le lard de cet honorable monsieur et lui demander réparation pour l'outrage ? Allais-je me laisser aller à de violents excès de langage ? Allais-je faire le coup de poing ? N'écoutant que mon courage qui ne me disait rien, je pris le parti de me racler la gorge et de penser à autre chose. Les confrontations directes sont le plus souvent stériles.

— Comment s'appelle votre canot ? demanda Tesson fils un peu plus tard.

— *Bateau*, répondis-je.

— *Bateau* ? Comme c'est amusant… Si j'avais une barge, il me semble que je l'appellerais *Ophélie*.

— Ce n'est pas une barge, fit observer Adrian,

c'est un canoë. Une sorte de kayak amérindien, si vous préférez.

— Ah ? dit Tesson. Eh bien, si j'avais un kayak, je l'appellerais *Orphée*.

Nous rîmes de bon cœur et, vers la fin de l'après-midi, longtemps après que nous eûmes quitté les Tesson, Waquet expliqua ce qu'il y avait de drôle à appeler *Orphée* son canoë. Dans la mythologie grecque, Orphée, fils de Zeus, est épris de la belle Eurydice. Un jour celle-ci se fait mordre le mollet par un serpent et décède. Fou de douleur, Orphée obtient des dieux l'autorisation de venir la tirer du royaume des morts à la seule condition de marcher devant sans se retourner. Mais, à deux pas de quitter les Enfers, Orphée n'y tient plus et se retourne. « Comme parfois les canoës », conclut Waquet…

On le voit, les plaisanteries d'aventurier ne sont pas à la portée du premier venu. Elles requièrent un certain *bagage*. À propos de bagage, Tesson, fidèle à sa parole, nous remit un panier d'osier chargé de provisions. Ce panier était empli de toutes les denrées les moins transportables au monde. J'y recensai pêle-mêle un brie déjà fait, de l'andouille de Guémené pour six personnes, une motte de margarine, 700 grammes de fromage à raclette prétranché, une part de quiche lorraine, un flan, deux litres de lait écrémé, quatre côte-de-beaune, une galette des rois et deux bourriches d'huîtres.

« C'est trop », dit Samuel qui le pensait. Stéphanie nous offrit au surplus un exemplaire des *Contes de la bécasse.* « Ça vous fera de la lecture », dit-elle affectueusement. Je voyais bien qu'elle non plus ne donnait pas cher de nos peaux. « Braves garçons », dit-elle en pensant « Pauvres gosses ».

Tous trois nous raccompagnèrent au débarcadère. Notre départ de Chatou, quoique dépourvu d'ostentation, fut à mon sens assez glorieux. Nous ramâmes à bonne cadence jusqu'à se trouver hors de vue. La faute aux bourriches, la charge utile de notre canot était allègrement dépassée et je voyais inquiet la ligne de flottaison convoiter les plats-bords. Depuis le matin, notre bôme présentait une tendance à flancher et le branlement du mât devenait plus qu'inquiétant. Selon toute vraisemblance, les colliers ne serraient pas assez la tringle. « Peut-être les colliers ne serrent-ils pas assez la tringle ? » avait dit Tesson. « C'est cela. Au revoir monsieur », avait répondu Adrian.

Waquet étudie l'histoire du droit romain, nous l'avons dit plus haut. Cela implique qu'il en connaît un rayon sur l'antiquité[1] et la mythologie. Vers la fin d'après-midi, Waquet entreprit d'analyser le mythe d'Icare, ce fils de Dédale, grisé par l'envol qui précipite sa perte. « À dire vrai, Icare ne se contente pas de refuser

1. Plus particulièrement l'an 428 après Jésus-Christ. Waquet entretient en effet une véritable passion pour l'an 428 après Jésus-Christ. Son livre préféré a pour titre : *428, une année ordinaire à la fin de l'Empire romain* (Giusto Traina, éditions Pluriel).

son destin, celui d'errer sa vie durant dans le labyrinthe, il refuse par surcroît sa condition, sa condition d'humain qui ne peut voler. ». Le major, qui semblait décidé à refuser sa condition de rameur, fit du mythe une lecture symbolique, exégétique et historique. « En définitive, conclut-il après quarante minutes qui m'avaient semblé le double, la sagesse consiste à demeurer à sa place. » Nous étions bien avancés.

Comme le jour venait à tomber, je proposai d'aviser une île où passer la nuit. Dans l'instant se présenta l'île Corbière que nous jugeâmes à notre goût. Il n'est jamais aisé de choisir un lieu de bivouac. Si on se montre trop difficile, on ne s'arrête jamais et quand on l'est trop peu, on s'arrête partout. J'ai connu jadis un aventurier qui ne rechignait pas à dérouler son tapis de sol n'importe où, au sommet des montagnes, dans les plus infâmes terrains vagues, sur les ronds-points, les plages à marée basse, les parkings de centre commercial et même une fois derrière la glissière d'une voie express. Un semi-remorque letton a eu raison de son audace et nous savons depuis que la glissière ne saurait constituer un abri satisfaisant pour camper.

Nous choisîmes donc l'île Corbière et rangeâmes le canot à l'abri d'une anse, sur la rive droite de l'île. À peine débarqués, Adrian prit son barda à l'épaule et se fraya un layon dans le taillis. Je saisis les rations alimentaires, Waquet les pagaies, et nous lui emboîtâmes le pas. L'île semblait déserte, sauvage, mais d'une sauvagerie relative en ce sens qu'un viaduc ferroviaire l'enjambe. Huit à dix fois par heure, le RER A passe au-dessus de l'île Corbière. Hormis cela, rien ne reliait l'île à la civilisation. C'est une grande joie de voyager loin des sentiers battus. La vie en plein air revigore et déjà je trouvais à Waquet meilleure mine. Nous décidâmes d'établir un bivouac en lisière de la rive orientale et entreprîmes d'explorer les lieux. La végétation rendait notre progression difficile. Du reste, à l'exception d'un enjoliveur Citroën, d'innombrables boîtes de kebab en polystyrène et d'un vieux paquet de lessive Omo, il n'y avait rien de franchement remarquable et nous décidâmes de rebrousser chemin.

C'est le moment, me dis-je, de faire un brin de toilette. Dans la vie quotidienne, bien sûr, mais plus encore en voyage, il est primordial de soigner son hygiène. Certaines contingences, la promiscuité, la précarité du bivouac rendent la chose indispensable. Il en va de l'hygiène comme des soins. Je déconseille de laisser une plaie béante sans soin car la blessure risque de s'infecter. Cela peut aboutir à la gangrène et l'amputation alors même que la blessure n'aurait nécessité huit jours plus tôt qu'un pansement. Considérant que pour réussir dans la vie, quand on est jeune, il faut se mouiller, je résolus de me mettre à l'eau et invitai mes camarades à faire de même. « Quelle veine nous avons là, d'avoir l'eau à portée », dit Waquet à demi immergé. Grâce aux turbines de l'usine en amont, la Seine était à bonne température. C'est drôle, on la dirait gazeuse, dit Adrian en apercevant quelques bulles en surface. Il en but un gorgeon et confirma que la Seine pétillait légèrement au palais. De retour sur l'île, Waquet voulut entamer un herbier. Il collecta une feuille de hêtre, une feuille de bouleau, une feuille de marronnier rose et aussi quelques feuilles hygiéniques. À cet instant passa le 20 h 39 à destination de Meulan. Nous avions ramé la journée durant et n'étions qu'à neuf stations de la place de l'Étoile. C'était tout à fait désespérant. Aucun d'entre nous ne voulut l'admettre.

— Quand on pense, dis-je, que les gens s'entassent aux Baléares, à Marrakech ou Bali, tandis qu'ici dans les Yvelines, il n'y a pas un chat…

— Même en haute saison, abonda le major : des plages de vase pour nous seuls…

— Et qui plus est desservies par les transports, approuva Adrian.

La nuit venait, il fallut arranger notre couchage. Trois arbres se tenaient à distance idéale pour y installer nos hamacs en toile cirée. Au centre du triangle ainsi constitué, j'entrepris d'allumer un feu. En temps normal un silex affûté et une poignée d'amadou me suffisent à incendier n'importe quel sous-bois. Je ne sais de quel bois se chauffent les brindilles de l'île Corbière mais elles ne flambent pas comme les autres. À la vérité elles ne flambent pas du tout. Après une demi-heure d'efforts, Waquet vint me porter les allume-feu. Les allume-feu avaient pris l'eau. J'allai chercher ma lampe à pétrole. Bientôt, la douce lumière imprégna notre campement d'une sérénité domestique exquise. La lampe à pétrole n'éclairait pas grand-chose mais elle ouatait le crépuscule et retenait la nuit. Nous mangeâmes les huîtres et bûmes le vin blanc. La cafetière italienne fumait sur les braises et dans la demi-pénombre nos voix retrouvaient l'écho fraternel d'hommes engagés dans une entreprise qui les dépasse. L'atmosphère prêtait aux grands mots, aux grandes phrases mais, pour autant que je m'en souvienne, nous n'échangeâmes ce soir-là que des propos insignifiants.

Longtemps après que nous fûmes couchés, Waquet remua dans son hamac :

— Les gars j'entends des pas… Il y a quelqu'un, là tout près…

— Froussard, ricana Adrian sorti de son sommeil.

— Bleubite, ajoutai-je.

Ce fut le premier soir.

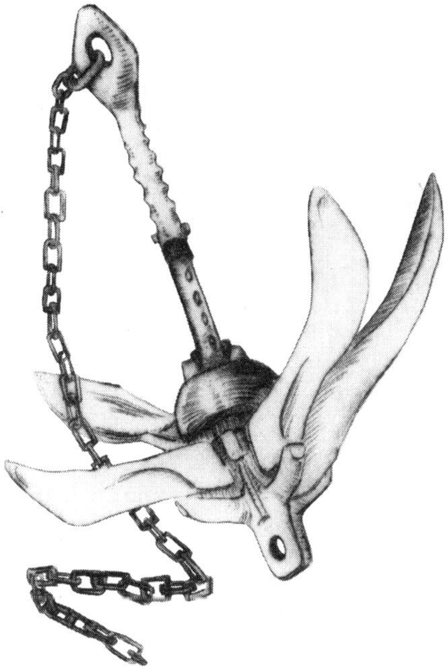

FIG. 2. – L'ancre à pelles effilées rétractables
et sa chaîne en inox.

10

Douceur. – Soupçons. – Oubli. – Mystère. – Balthazar et la vie presque sauvage.

Qu'il est doux ce demi-sommeil, quand on s'éveille à peine, que le vent peigne les ramures et souffle la rosée. Je sentais les premiers rayons percer la frondaison pour me venir dorer les bajoues. Une douce brise berçait mon hamac et dans un lointain pas si lointain j'entendais couler une source délicate, petite source, sourcette dirons-nous, car son débit allait tarissant puis goutte à goutte jusqu'au zip terminal de la braguette. Un affreux doute m'envahit. J'ouvris un œil puis le deuxième et découvris Waquet pissant allègrement au pied du frêne où je dormais. Ce devait être reposant d'être si con.

— Cherches-tu la bagarre ? dis-je.

Le major leva vers moi des yeux épouvantés :

— Il faut partir… J'ai entendu rôder toute la

nuit… Pas des conneries… Il y a quelqu'un sur cette île… Crois-moi, mon vieux…

Le fait que Waquet m'appelât son vieux prouvait qu'il n'était pas dans son assiette. Waquet n'appelle jamais personne son *vieux.* À la rigueur *mon bonhomme* ou *mon colon,* mais jamais au grand jamais *mon vieux* ni d'ailleurs *ma vieille.* Je crus bon de reporter un peu la correction. J'aurais tout le temps de le punir quand il aurait recouvré sa raison. Infligés à froid, les châtiments donnent un meilleur effet.

Adrian était parti faire ses ablutions dans les eaux grises et, le voyant revenir, je le priai de m'apporter en vitesse son couteau-scie pour débiter une bûche et aviver le feu. Naturellement Adrian ne trouva pas le couteau-scie. Non plus le briquet, le papier journal sec, les amadous. Il trouva en revanche l'écope. Ça, c'est de l'Adrian pur jus : par tous temps à contretemps. Ce garçon n'est jamais là où on l'attend parce que lui-même ignore où il a rendez-vous. Il dépareille ses chaussettes et boutonne lundi avec mercredi. On me dira : c'est un poète. Je veux bien mais ça n'excuse pas tout. L'année précédente, ce poète avait échoué au concours de l'École normale supérieure car il s'était trompé de date. Adrian préparait depuis deux ans ce concours. Il majorait la promotion et ses parents nourrissaient des espoirs légitimes. On le voyait déjà ministre ou contrôleur de gestion. Le lendemain de l'épreuve, Adrian s'était présenté au centre d'examen, frais et dispo. « Où sont les autres ? »

avait-il demandé à l'appariteur. « Chez eux, monsieur, ils attendent les résultats. » Voilà de quoi est capable Adrian. J'éprouve à son endroit la même interrogation que ma mère au sujet de mon père. En substance : pourquoi en suis-je venu à le choisir lui plutôt qu'un autre pour partager – dans le cas de ma mère cinquante années de vie commune – dans le mien huit jours de croisière sur la Seine. Le maître écopier Adrian accomplit aisément ce qui est compliqué mais il a toutes les peines du monde à exécuter les besognes les plus simples. Exemple : il peut réaliser les yeux bandés un nœud de carrick à extrémités adjacentes, mais dans le même temps il est infoutu de faire ses lacets. J'ajoute ceci : Adrian est maladroit. Il est maladroit car il est étourdi. Cet homme vous ébrèche un verre à dix mètres. Il brise, bouscule, renverse, trébuche et s'emplafonne mais il est mon ami. Je ne vois aucune explication rationnelle à cela. Je le répète : Adrian est mon ami et ne comptez pas sur moi pour dire du mal de lui.

Toujours est-il que je m'étais fourré dans une belle galère, affublé de fameux galériens. *Et vogue la galère, Tant qu'elle pourra voguer.* Je vous jure qu'il faut aimer l'aventure pour la faire avec ce genre d'individus. Aux accents énergiques de la corne de brume, j'annonçai l'appareillage imminent. Nous fîmes nos baluchons et mîmes les voiles.

Dix ou douze minutes plus tard, tandis que l'île réduisait derrière nous, le major demanda à la cantonade où était passée l'ancre. Il voulait parler de ma belle ancre à pelles effilées rétractables et sa chaîne en inox (*figure 2*), dont j'avais hérité de feu mon grand-oncle, cantonnier au Raincy et aventurier lui aussi.

— Elle doit être restée sur l'île, sans doute, dit Adrian comme s'il n'était au monde rien de plus naturel, comme si le mode d'emploi de l'ancre commandait de la poser sur l'île Corbière, dans la commune du Pecq, département des Yvelines, chef-lieu Versailles, et de l'y oublier.

— Demi-tour toute, intimai-je la gorge sèche.

J'aimais cette ancre, il n'était pas question de l'abandonner sous un pont de RER. Et nous voilà ramant contre le courant, direction l'île Corbière.

— Vingt-cinq minutes de foutues, marmonna le major, peu enchanté à l'idée de retourner sur l'île hantée.

Un capitaine est tenu de garder ses nerfs et je fis mine de n'avoir rien entendu. Aujourd'hui encore, Adrian et Waquet pensent que je n'entends rien de leurs médisances. Ils me croient sourd comme un pot et s'en amusent. Je me garde bien de les détromper. Ainsi j'en apprends sur leur compte et les pierres qu'ils jettent dans mon jardin seront un jour mon piédestal.

Nous savions sur quelle roche affleurante était posée l'ancre la veille. Étant entendu qu'aucun de nous trois n'y avait plus touché depuis, la logique voulait qu'elle y fût encore. À six coudées de la rive, je vis que l'ancre n'y était plus.

Avait-elle glissé derrière le rocher, comme nous allâmes le vérifier ? Non point. J'allai jeter un œil au lieu de bivouac. Les pierres qui entouraient tout à l'heure notre feu moribond avaient disparu. La corvée de bois mort était dispersée et un bidon avait été roulé à l'emplacement de mon hamac. C'était donc vrai, quelqu'un vivait là, sur l'île, dont nous avions violé le territoire. Il nous épiait depuis le soir, surveillait nos faits et gestes, et sans doute avait-il volé mon ancre à pelles rétractables et sa chaîne en inox. Nous prenions Waquet pour un poltron, une lavette, un froussard et une dégonflure, il avait cette fois vu juste. Waquet aurait pu nous faire la nique, il ne la fit pas, occupé qu'il était à claquer des dents.

— Ohé, tonitrué-je. Il y a quelqu'un ? Montre-toi méchant homme, montre-toi si tu l'oses.

Une branche craqua derrière un bosquet. Je n'eus pas à sonner la retraite, Adrian et Waquet couraient déjà au canot.

Ces événements d'une rare intensité dramatique constituent l'un des temps forts de ce récit (il y en aura d'autres, pages 133-134 notamment) et en même temps l'un de ses points de bascule. Nous aurions pu choisir, comme cela m'a été suggéré depuis, de traquer le sauvage, de l'acculer sur la berge, de le punir d'abord pour le vol de l'ancre, de le dresser ensuite, d'en faire un compagnon, un compagnon fidèle et dévoué au bien de ses maîtres, car le sauvage devenu citoyen de France aurait le cœur loyal…

Mais nous sommes des aventuriers. Et les aventuriers se nourrissent d'horizons. Je ne me sentais pas la patience de consacrer trois ou quatre ans à dresser Balthazar (c'est le nom que nous lui donnâmes entre nous). Je dis trois ou quatre ans car ce me semble un minimum pour faire l'éducation d'un sauvage. En deçà l'apprentissage est bâclé. Nous ne disposions pas de ce temps et n'avions pas cette patience. Ce n'était pas notre destinée. Notre destinée était d'aller à la mer à la rame, malgré les embûches et le mauvais caractère d'Adrian.

11

Mise au piquet du capitaine. – Concorde des significations discordantes. – Considérations générales et péremptoires sur les accoutrements les plus divers et plus particulièrement sur les excroissances capillaires dans la région nucale.

Le seul bourdonnement des lignes haute tension vint couvrir le silence qui devait régner pour une heure sur le pont de *Bateau.* Nous n'avions jamais ramé si vite et pour cause, je ne ramais plus. Dans la précipitation de notre appareillage, j'avais été relégué garde-chiourme, au centre de l'embarcation. Cette place a le mérite de reposer celui qui l'occupe, car il ne rame pas, mais aussi l'inconvénient d'amoindrir son influence, et cela pour la même raison. À de rares exceptions près, à bord d'une barque ou d'un canoë, celui qui rame gouverne. En la circonstance, je devais m'asseoir sur les piquets de tente et mon orgueil. Un capitaine au repos va aussi loin que deux brutes qui rament du moment qu'ils occupent la même embarcation. Il n'y eut pas une parole de prononcée pendant une heure encore. Seulement le clapot cadencé des pagaies dans l'eau grise. Pour rompre ce silence qui devenait gênant, je finis par demander au major d'analyser plus avant la situation. L'analyse, c'est le domaine du major. Il s'exécuta de bon gré :

— Perdre son ancre, ou se la faire dérober, est lourd de sens mon capitaine, et mérite en effet d'être analysé plus avant. À première vue, en perdant notre ancrage, nous perdons nos repères, c'est-à-dire nos racines. Nous devenons « hors-sol », plantes en pot, vagabonds sans foyer, hobos comme disent les Américains. Voici l'analyse exégétique de la situation. Et ma conclusion est la suivante : n'étant plus de nulle part, nous n'irons jamais loin.

Le major excellait à parler pour ne rien dire. C'était chez lui comme une seconde nature. Il reprit le cours de son exposé :

— Toutefois on ne saurait se contenter de l'exégèse. Une analyse symbolique s'impose, mes amis. Et laissez-moi vous dire que les conclusions sont autrement réjouissantes. Perdre son ancre, dans l'inconscient, n'est-ce pas larguer les amarres, briser les chaînes et s'arracher à l'immobilisme ? En d'autres termes, perdre son ancre n'est-ce pas devenir des hommes libres ? La liberté, messieurs, ne s'encombre pas d'amarres, on ne l'arrime pas, la liberté ! Elle souque ferme et file à la mer ! Mieux : la liberté c'est la mer !

Adrian s'arrêta un instant de ramer pour applaudir. J'en fis autant. Il était midi au passage de La Frette, pays de Chardonne. Un clocher fit lever deux hérons en sonnant l'angélus. Vers Gaillon, deux ouvriers nous saluèrent depuis leur échafaudage. « Où allez-vous ? » cria l'un d'eux. « À la mer ! » répondis-je. Et l'écho de leurs gloussements crétins nous parvint. « Pour qui nous prennent-ils », pensai-je tout haut. « Oh, ils doivent nous prendre pour de simples sportifs », répondit sereinement le major qui avait l'air d'à peu près tout sauf d'un sportif.

Profitons de cet intermède pour détailler la composition de nos accoutrements respectifs. En croisière, une tenue correcte est la première chose sur laquelle un voyageur doit concentrer son esprit. Se méprendre dans le choix de son habillement représente un risque pour la santé et plus généralement la poursuite de l'aventure. Bien des voyageurs néophytes pensent à tort qu'ils doivent s'efforcer d'imiter les habitudes vestimentaires locales ou considérées comme telles. Ceux-là se vêtissent par exemple d'un kamishimo de samouraï à Tokyo et plongent leurs hôtes japonais dans une profonde confusion. De même on évitera de faire l'acquisition d'un sombrero à clochettes en salle d'embarquement pour Mexico. Si l'intention est louable, cet effort est en réalité contreproductif et la population autochtone, moins dupe qu'on ne le croit, vous cataloguera aussitôt parmi les gogos de la pire espèce.

Un autre travers de l'aventurier débutant consiste à s'attifer d'un costume censé incarner le romanesque du voyageur. Waquet appartient à cette catégorie-là. Pour notre descente de Seine, il avait choisi d'arborer, outre ses chaussures bateau, une paire de moustaches, un pantalon de lin crème et une marinière. Si le major ne portait pas de canotier, c'est qu'il n'en avait pas trouvé dont le ruban lui convînt. Adrian au contraire n'avait pas bouleversé sa garde-robe. Il portait le t-shirt que je lui avais toujours connu et un bermuda olivâtre à revers. Sans me mettre en avant, je crois pouvoir affirmer que j'étais de loin le mieux équipé pour l'aventure : culotte de polyester resserrée aux chevilles, liquette de coton blanc, veston de chasse à poche dorsale et sur la tête un authentique bâchi de la Marine française, avec capote blanche et pompon rouge, acquis deux ans plus tôt dans une recyclerie du Finistère.

Vous vous demandez sans doute : mais comment diable fait-il, pour disposer toujours à l'instant opportun de l'ustensile idoine ? C'est que ma vie entière s'articule autour de ce principe : j'accumule et ramasse des quantités d'objets dont chacun s'accorde à me répéter qu'ils sont inutiles ; puis je passe les mois suivants à m'efforcer de les contredire. À tel point que l'on pourrait se demander si je n'ai pas entrepris ce voyage de Paris à la mer par voie d'eau dans le seul but de trouver une fonction à mon bâchi de la Marine française. Cette hypothèse mériterait d'être approfondie. Je n'exclus pas de le faire un peu plus tard.

Adrian, qui est un être éminemment vulgaire, couvrait son chef de ce chapeau en toile à bords rabattus sur la calotte que les Français nomment « bob ». La veille du départ, il s'était occupé lui-même de se raccourcir les cheveux au moyen d'une tondeuse. Il en résultait une coupe claire sur l'ensemble du crâne excepté la région nucale où des mèches singulièrement plus longues atteignaient pour certaines trois à quatre centimètres. J'ajoute en passant que le maître écopier, au prétexte d'alléger notre chargement, s'était dispensé de déodorant. Mais il y avait plus grave. Après deux jours de navigation, nous n'avions plus à bord le moindre vivre. Même le fromage à raclette avait fini par y passer. Nous avancions la cale sèche. Il devenait urgent de se ravitailler.

12

Tribulations à Conflans-Sainte-Honorine. – *Je Sers.* – De la richesse des occasions. – Comment l'écopier apprit à ses dépens les inconvénients de l'imparité à la courte échelle.

Nous voguions dans la belle forêt de Saint-Germain que le fleuve enceint d'un de ses larges anneaux, quand il se trouva sur notre route une chapelle. Étant entendu que notre route était un fleuve, cette chapelle était fluviale. Comme je dis : « Si les choses pouvaient toujours être si simples, on s'éviterait bon nombre de complications. »

Une chapelle fluviale, en général et en particulier, est une péniche consacrée au culte religieux. Parmi les bateaux amarrés sur les quais de Conflans-Sainte-Honorine, celle-ci portait sur sa coque ces simples mots : « Je sers ». Cela ne manqua pas d'interpeller le major. Les noms des péniches, tantôt exotiques : *San-Francisco, Vahiné,* tantôt humoristiques : *Dolly-Pran* et tantôt mensongers : *Radieux, Joie-de-Vivre…* – constituaient depuis Paris l'une de nos principales sources de distraction. « Je sers ! s'exclama Waquet. Et à quoi donc s'il vous plaît ? »

Nous ramâmes bâbord pour gagner la rive droite et satisfaire la curiosité du major. Je tenais à ce que notre aventure fut documentaire et didactique. Je comptais que mes hommes y étancheraient leur soif de connaissance. Le fait est qu'il y avait quatre bons mètres de hauteur de quai, si bien qu'on n'aurait pu d'aucune manière le gravir seul. Voilà une excellente façon d'inculquer à mon équipage le sens du collectif, pensai-je. Et je priai Waquet de me faire la courte échelle. Après quoi, m'ayant hissé sur le quai, Waquet pria Adrian de la lui faire. Adrian s'exécuta de bon cœur. Puis le malheureux s'aperçut qu'il était à bord le dernier homme. Or on ne peut d'aucune manière se faire la courte échelle à soi-même. L'écopier venait de se faire bananer, il devrait compter sur lui seul. « Aide-toi et le ciel t'aidera », dis-je, compatissant. Adrian apprit ce jour-là qu'on ne peut se fier à personne et que la vie est une confiture d'injustice tartinée sur le pain rassis de nos désillusions.

Le major riait de bon cœur. Tant qu'il riait, il oubliait de manger. Je le tirai par la manche et nous allâmes tous deux voir de quoi il en retournait. Là, juste derrière la péniche *Je Sers*, une tripotée d'enfants qui pouvaient avoir dix ou douze ans disputaient une partie de *foot-ball*. Ce jeu anglais largement répandu à travers le monde met aux prises deux équipes, chacune devant introduire avec les pieds un ballon dans l'enbut adverse. Quatre pull-overs délimitaient le terrain. Je fis un pas :

— Pardon d'interrompre, jeunes sportifs, une partie endiablée : je suis le capitaine du bateau *Bateau* et le major ici présent souhaiterait connaître l'origine du nom de votre bâtiment.

Ce fut comme si j'avais parlé hongrois. Les enfants restaient interdits. D'où sortions-nous ? semblaient-ils se demander. Je me posais les concernant la même question. Aucun d'entre eux ne possédait le morphotype yvelinois : yeux fort bridés, cheveux de jais, pommettes saillantes, ils semblaient provenir de quelque peuplade asiatisante. Dans une langue indéterminée, l'un d'eux fit un compliment sur mon bâchi à pompon. Toute la sale bande éclata de rire.

— J'ai l'impression qu'ils se moquent, dit Waquet.

La partie de ballon-pied reprit son cours comme si de rien n'était. Pris de pitié, un gamin moins mauvais que ses congénères finit par me désigner un groupe d'hommes attablés devant la péniche. Quand l'enfant montre la lune, dit le dicton, l'imbécile regarde le doigt. Waquet regardait sa montre. Il serait bientôt l'heure de déjeuner.

— Amène-toi, dis-je au major. Ces messieurs vont nous renseigner.

Autour d'une vieille table de bridge, sous un Jésus de stuc et une Marie de plâtre, trois types tapaient en effet le carton. « Nous sommes des bénévoles », dirent-ils comme je les interrogeais. Et dans un français impeccable – j'appris plus tard qu'ils étaient français comme vous et moi –, les hommes retracèrent l'histoire du bateau associatif. Il y a cent ans, la péniche *Je Sers* transportait du charbon. À cette époque, les mariniers pullulaient sur le fleuve. Ils étaient une corporation aimée et respectée, à la fois pieuse et paillarde, fanfaronne et courageuse. Mais, depuis lors, le commerce fluvial n'avait cessé de péricliter et avec lui toute une tranche d'humanité. Les mariniers, ces fins manœuvriers, allaient disparaître. Grâce à Dieu, saint Nicolas veillait sur eux. Saint Nicolas, nous apprend l'encyclopédie en ligne Wikipédia, est le saint patron des mariniers. Il est aussi le patron des écoliers, des enfants, des étudiants (en période d'examens, préférez saint Joseph de Cupertino), des avocats du barreau de Paris, des voyageurs, des prêteurs sur gages, des marchands de vin, des bouchers-charcutiers, de l'université de Valladolid en Espagne, des prisonniers, des kinésithérapeutes, des ergothérapeutes et des célibataires. Cela en fait des gens à s'occuper. Allez vous étonner ensuite que les mariniers s'estiment négligés. Je ne dis pas ça contre saint Nicolas, en un sens je le comprends. On dit : tous les patrons sont des salauds. C'est excessif. Les patrons sont des gens comme vous et moi, débordés par les contingences et accablés de sollicitations. Toujours est-il qu'en 1936 un brave homme, l'abbé Joseph Bellanger, prit le relais. Ému par les conditions de vie précaires des bateliers, il acquit ce vieux bateau et le consacra. *Je Sers* devint une chapelle. Comme j'ai coutume de dire : tout arrive. En l'occurrence il arriva un Tibétain, fuyant les persécutions du régime chinois. On ne sait comment ce Tibétain vint jusque-là mais on sait qu'il fut reçu avec les meilleurs égards. Peu importait que le Tibétain ne fût pas marinier : c'était un homme dans le besoin, on lui accorda l'asile. C'était il y a quinze ans. Par simple effet de bouche à oreille – faut-il que les Tibétains aient l'ouïe fine –, d'autres compatriotes suivirent. Ils étaient désormais une soixantaine, hommes, femmes et enfants, à vivre sur la péniche en attente de leur régularisation. Accueillis indifféremment par l'association La Pierre blanche, ils trouvaient ici logement, repas, vêtements et cours de français. « Voilà à quoi sert *Je Sers*, dit l'un des bénévoles. À se serrer les coudes. »

Qui donc aurait deviné qu'il existât à Conflans-Sainte-Honorine une communauté tibétaine ? Personne au juste. C'est pourquoi il est sain et instructif de voyager ou à défaut de lire les récits de voyage tels que celui-ci. Comme le dit à bon droit Passepartout, le valet de Phileas Fogg : « Je m'aperçois qu'il n'est pas inutile de voyager si l'on veut voir du nouveau. » Du nouveau et du vrai. Bon nombre de clichés lapidaires sont de nos jours encore ancrés dans la phraséologie populaire. Tels que : « En Angleterre, toutes les femmes sont rousses », « En Italie tous les hommes parlent fort », « En Allemagne, tous les adultes portent des chaussettes de laine dans leurs Birkenstock », etc., etc. Aujourd'hui encore, le Français moyen se complaît à ces images d'Épinal. Il n'imagine pas un instant qu'il puisse y avoir une foule de Tibétains à Conflans, et que ces Tibétains parlent fort et portent, pour certains, des chaussettes dans leurs simili-Birkenstock.

Le bénévole en chef proposa de nous faire voir la nef du bateau qui devenait réfectoire, lieu de culte ou dortoir selon les heures du jour et de la nuit. Puis il nous présenta la librairie solidaire. Sur deux tourniquets grinçants, une cinquantaine de livres d'occasion étaient en vente au profit de l'association. La pratique régulière de la lecture est autant une salubre descente en soi qu'une ascension émancipatrice. C'est dans les moments longs qu'elle procure que l'esprit se renforce et mature. Aussitôt, je repérai sur l'un des tourniquets un exemplaire des Mémoires de Gérard Larcher en état quasi neuf. J'aime plus que tout Gérard Larcher. Voilà un homme, dont la bonne bouille et le franc-parler assoient l'autorité. Souvent je me demande : qu'aurait fait Gérard Larcher à ma place, comment se serait-il comporté dans telle ou telle situation ? Indépendamment de son obédience politique, il incarne l'audace et la fougue en même temps que la sagesse et le bon gros sens paysan. Une fois, j'ai pu approcher Gérard Larcher. C'était au Congrès des départements de France, à

Rennes, où je me trouvais pour affaires. À travers la foule compacte qui l'entourait, un court instant nos regards se sont croisés. Puis Gérard Larcher a regardé ailleurs et je suis allé me servir en verrine. Trouver ici son livre était inespéré. Conscient de réaliser une affaire en même temps qu'une bonne action, je mis de bonne grâce un sou dans l'urne. Contre un sou supplémentaire, Waquet fit l'acquisition d'un ouvrage intitulé : *Comment communiquer avec son ado par l'hypnose ?* Je dévisageai longuement le major.

— Que se passe-t-il encore ? s'agaça-t-il. Quelque chose te chiffonne ?

— C'est... C'est que tu n'as pas d'enfant, le major.

— Et puis ?

Et puis le major avait raison. Ce n'est pas parce qu'on n'a pas d'enfants qu'on ne peut désirer les hypnotiser. A fortiori s'ils sont adolescents. Waquet accepta mes excuses.

Quelle surprise nous eûmes au retour de trouver Adrian sur le quai ! Au prix de mille efforts, profitant d'une anfractuosité dans la pierre et s'agrippant à un anneau de fer, risquant à tout instant de se rompre le cou, il venait de parvenir à la hauteur du quai. « Cet homme est épatant, vraiment, dis-je à Waquet. Une vraie force de la nature. » Puis, tandis qu'il venait à nous, encore haletant : « Demi-tour, mon ami, nous reprenons le fleuve. »

13

Des types tout nus qui mangent des herbes en chantant des hymnes. – Physiopolis. – Wenceslas en sa guinguette. – Johnny, arroseur à rosé. – Ah, que l'on s'aime.

Nous abordâmes sur la plage de Villennes vers 6 ou 7 heures du soir. Des nénuphars couvraient toute la surface d'un bassin. C'était l'heure tranquille où les poissons vont boire. À quelques mois de cela, on m'avait parlé d'une colonie d'hommes et de femmes établie sur l'île de Platais. À la fin des années 1920, deux frères hygiénistes, André et Gaston Durville, y avaient fondé une société naturiste où l'homme décorseté renouerait avec la nature. Ils y dispensaient des « cures d'air » et le Tout-Paris se pressait à Physiopolis. On courait dans les prés en tenue légère, on lançait le javelot, on folâtrait sous la tente, sans contrainte, ivres de soleil et de mouvement, dans une atmosphère de camaraderie simple et joyeuse. Certains journalistes avaient eu beau railler « ces types tout nus qui mangent des herbes en chantant des hymnes », le mouvement avait pris de l'ampleur. On construisit un débarcadère, on ouvrit des chemins, on bâtit des bungalows, on combla la noue. Un siècle plus tard, m'avait-on dit, l'esprit de la communauté s'était galvaudé. Certains avaient construit en dur et s'étaient rhabillés. On avait ouvert un parc aquatique à l'autre bout de l'île, qui avait fait faillite dans les années 2000. De tout cela il ne restait rien qu'un vieux toboggan visible depuis la terre ferme et un bâtiment en lambeaux. Des fougères envahissaient l'intérieur et le plafond était crevé. La végétation reprenait ses droits. Elle les reprend toujours. On craint pour la nature comme s'il s'agissait d'une petite chose fragile. À mon avis on ferait mieux de s'inquiéter pour le devenir de notre espèce. Nous aurons depuis longtemps disparu de la surface du globe que celui-ci continuera de tourner. Et les fougères de pousser. Et les crapauds de coasser. Pour les crapauds je ne suis pas sûr, ils pourraient disparaître avec les humains. Ou bien nous remplacer. Ou peut-être pas. À vrai dire je n'en sais rien et quand je ne sais pas, contrairement à certains, je préfère m'abstenir.

Adrian, qui est un homme d'action, entreprit d'atteindre l'étage du bâtiment par la façade. Il s'employa ensuite à déchiffrer les inscriptions dont les murs étaient recouverts et qu'on appelle « tags ». Les tags sont des graffitis formant une signature d'intention décorative, tracés généralement à la bombe aérosol. Ils sont un moyen d'expression chez les jeunes gens et aussi une manière de marquer le territoire. À ce titre on peut les considérer comme une forme d'art primitif. Si nous chérissons les peintures rupestres de Lascaux, pourquoi ne pas apprécier au même titre les fresques du tunnel de Chatelet-Les Halles ? Adrian n'est pas de cet avis. Il soutient que les tags ne sont pas de l'art et n'ont rien de primitif, sinon leurs auteurs. Il me semble que cette opinion pourrait être jugée réactionnaire mais je n'en suis pas sûr.

Ayant amarré solidement le canot à une grappe d'ajoncs, nous entreprîmes d'explorer la partie méridionale de l'île de Platais. Un sentier courait derrière le toboggan qui nous conduisit droit sur un hangar de tôle. Ce hangar était frappé de grandes lettres bleu délavé : « Physiopolis ». Derrière ce hangar nous eûmes la bonne surprise de trouver une guinguette. Les guinguettes avaient connu leur heure de gloire dans le début du siècle précédent avant de disparaître progressivement. Elles tenaient leur nom du « guinguet », petit vin aigre produit dans les vignobles d'Île-de-France et vendu dans les bals musettes. Nous allâmes interroger le taulier de l'établissement. Wenceslas, la cinquantaine, barbe de huit jours, confirma que Physiopolis avait changé ces dernières années. Surtout depuis l'arrivée de l'électricité sur l'île, en 2002. En gros, selon Wenceslas, c'était mieux avant. Les tenanciers de guinguette, ai-je remarqué, sont souvent de cette opinion.

« Que diriez-vous d'un rafraîchissement ? » suggéra Waquet sur ces entrefaites. « Aucune objection à cela », dis-je. Comme on l'a vu déjà, comme on le verra encore, l'enboissonnement constitue l'un des principes fondamentaux de ma technique de management. L'expérience le démontre : il est avantageux de boire l'apéritif pour affermir les liens qui unissent divers individus engagés dans une même entreprise. Répétée à intervalles réguliers, l'absorption d'apéritifs détend l'atmosphère et maintient un certain esprit de corps. Les tensions sont pour ainsi dire purgées. On voit depuis quelque temps se développer, sur le modèle américain, des stages de *team building* en entreprise et autres *séminaires d'intégration*. Je ne dis pas qu'ils sont inutiles, je dis que rien ne vaut le Cinzano. En effet le Cinzano, comme le Martini dry, la liqueur de gentiane et dans une moindre mesure le punch coco, vous soudent une équipe en cinq sec. J'ai connu des gens excessivement ennuyeux à jeun devenir les meilleurs compagnons après quatre ou cinq verres de porto. Au sixième verre ils dansaient sur la table et au septième ils m'appelaient Maman.

Le major partage mon opinion. À toute heure du jour il semble n'avoir qu'une idée en tête : porter un toast à la bonne cohésion de notre équipe. Je ne cire pas souvent les chaussures bateau de mon ami Waquet mais dans cet exercice je dois admettre qu'il est de première force. Waquet est très porté sur la cohésion des équipes – sur la nôtre en particulier – et je lui en sais gré. Il est agréable d'avoir pour compagnon de voyage un homme qui ne chipote pas. Ayant commandé trois Pernod frappés, il se tourna vers nous autres et dit : « Ne perdons pas une minute : à la bonne vôtre. »

Le maître écopier Adrian est moins habile dans ce domaine. Lever son verre à tout bout de champ, très peu pour lui, soi-disant que l'abus de boissons alcoolisées et gna, gna, gna et gna, gna, gna… Voilà typiquement le genre d'attitude qui vous sape le moral d'une équipe. Heureusement, il n'y a pas à le pousser beaucoup pour voir l'écopier se ranger à la majorité. Une fois lancé, Adrian s'anime, se décontracte et, alors, il cohésionne comme personne.

Ce soir-là, nous fîmes la connaissance de Johnny, ancien pilote de vraquier. De tous les habitants de l'île, Johnny était le plus fidèle client de la guinguette. Arrimé au comptoir, la peau brunie, le nez fort, les muscles saillants, il vivait d'amour et de rosé frais. Johnny connaissait la Seine comme s'il l'avait vue naître. En tout cas il l'avait épousée et jamais n'avait pu s'éloigner de son fleuve de cœur. « La Seine, tu comprends, j'ai passé ma vie dans son lit, je n'ai plus l'âge de découcher… » Dans son abdomen, Johnny aurait pu loger à l'aise trois ou quatre cubitainers de cinq litres chacun. Il était ce qu'on appelle un colosse, une marmule.

Pour arrondir sa retraite, ce colosse, cette marmule, retapait de petits moteurs à explosion. Des moteurs deux temps, principalement. Au détour de la conversation, et comme il constatait notre intérêt, Johnny voulut nous en vendre un à bon prix.

— Un moteur ? me récrié-je. Et pour quoi faire ?

— Pour ton canoë, Saucisson !...

Ce n'était pas de sa part un manque de respect. Johnny appelait tout le monde « Saucisson » : Wenceslas, Waquet, moi, n'importe... Si pour une raison ou une autre Johnny avait eu à s'entretenir avec la reine d'Angleterre, je parie qu'il l'aurait appelée « Saucisson ».

— Ça se fait ça, un moteur sur un canoë ? demanda Adrian.

— Tout se fait, répondit Johnny, sûr de son fait. Vous avez bien une voile, non ?

L'argument était recevable, cependant le projet ne fut pas mis à exécution car Johnny était bourré comme une grive. J'en veux pour preuve qu'il se mit sans transition à chanter *Quoi ma gueule ?* sur l'air de *Vanina.* Il était 19 heures. Notre ami fit encore un tour de chant puis soudain sa tête bascula en arrière et il plongea dans un profond sommeil. Wenceslas ne parut pas s'en inquiéter. Il nous proposa de dîner. « On n'a pas les ronds », l'informa Waquet. Wenceslas laissa échapper un sourire et dit : « Comment vous l'aimez votre bifteck ? Saignant ? À point ? » Donc Wenceslas était grand prince. Avec un nom pareil, ça n'avait rien d'étonnant. Il dressa trois couverts sur une nappe en crépon et remplit un pichet. « Tout de même, dit Adrian, y a pas à dire, l'aventure, ça fait des souvenirs… »

Vers la fin du repas, Johnny reprit du service. Une petite demi-heure de coma et un gorgeon de rochemazet l'avaient remis d'équerre : il était un homme neuf. Sans quitter son siège de bar, ses larges mains en porte-voix, Johnny donna une interprétation libre de *Diego libre dans sa tête* avec l'accent d'Yves Montand. Apparemment Johnny aimait mêler les univers artistiques. Il n'était pas homme à se contenter de chanter Johnny sur l'air de Johnny en imitant Johnny. Une table de Néerlandais voulut l'accompagner au refrain. Cette fois ça y est, la soirée dérapait. La majorité des clients se leva, Adrian compris. Entre les tables de la guinguette, je vis notre maître écopier saisir par les poignées d'amour une Batave gironde et godiller avec elle une ébauche de cha-cha-cha. Son mari applaudissait, hilare et considérablement saoul. Wenceslas fit clignoter les guirlandes lumineuses et tonner la musique. Les couples associés tournaient au rythme sauvage et sentimental des tangos chaloupés sous les lanternons qui mettaient du fard aux teints blêmes. C'est une fameuse brigade que j'ai composée là, me dis-je en apercevant le major inviter à danser une pile de chaises. À nous trois, nous formions une fine équipe, souple et polyvalente, un tiercé de choix, trois cadors je vous dis, des cracks ! Et une houle de bien-être vint m'inonder le cœur que j'ai sensible malgré les airs que je me donne et l'exigence dont je fais montre car ils sont l'apanage du chef. Parfois j'aimerais pouvoir descendre à l'altitude de mes hommes et leur confier mes doutes, mes espoirs, mes tourments ; me laisser aller avec eux à rire, à pleurer, à vivre. Mais je me l'interdis. Ils ne comprendraient pas. Et je savoure dans la paix de mon âme l'ineffable orgueil de veiller sur mes prochains.

Comment nous retrouvâmes bien plus tard nos hamacs, à l'autre bout de l'île, je n'en ai pas la moindre idée. L'abus de cohésion ne permet pas de reproduire avec exactitude le déroulé des événements ce soir-là. Le fait est que nous y parvînmes, protégés sans doute par quelque divinité omnisciente type le roi Merlin. De l'avis général, nous prîmes sur l'île de Platais une cuite mémorable. *Cuite mémorable* est un oxymore. Ça ne diminue pas les maux de tête mais c'est bon de le savoir.

14

L'excellent caractère des Français. – Leurs fêtes. – L'arrêt chez Monsieur Mallard. – Où l'on découvre que nos rames sont des pagaies. – La non-rencontre de Véronique Sanson. – Point de vue de Pascal sur la question du réchauffement climatique. – Réquisition d'une chaussette sur l'île aux Dames.

La France est un sacré bien beau pays. Je crois que je serais très envieux des Français si je ne l'étais pas moi-même. Parfois, quand j'ai la tête ailleurs, il m'arrive d'oublier que je suis français. Alors ça me met dans un état… C'est simple on ne me reconnaît plus : je pique de ces colères, je deviens hargneux, jaloux, grossier, je ne tiens plus la porte aux dames, je parle la bouche pleine et encore, pour dire des horreurs. Rien ne m'arrête jusqu'à temps que la chose me revienne : tu es français, bon sang ! Je suis français, nous sommes français… Alors tout s'arrange et je respire d'aise, comme un dyspnéique après la Ventoline. La France est un sacré bien beau pays, le plus beau du monde en vérité, tous les Français vous le confirmeront. Rien ne vaut nos montagnes, nos vallons, nos torrents, rien ne vaut nos campagnes et nos prés odorants.

C'est pourquoi les Français, bénis des dieux et conscients de l'être, sont un peuple si convivial et fraternel. Les Français sont connus pour cela : leur joie de vivre, leur allant et leur bonne humeur. Ils ne perdent jamais une occasion de faire la fête. Une victoire de l'équipe locale, un départ en retraite, l'équinoxe d'été, tout leur est prétexte aux célébrations… Même le travail ils le fêtent. La fête du Travail a lieu le 1er mai. Et comment croyez-vous que les Français fêtent le travail ? En ne travaillant pas, tout simplement… Ce sont des génies vous dis-je. Le peuple élu.

Quand ils ne fêtent pas le travail – on ne peut tout de même pas fêter tous les jours le travail – les Français trouvent autre chose. Rien qu'en bord de Seine, ils ont inventé mille et un prétextes. À Croissy par exemple, on fête chaque année la carotte. La fête de la carotte de Croissy-sur-Seine se déroule aux environs du 3 septembre et s'articule autour de trois temps forts : le défilé de majorettes, le feu d'artifice et la dégustation du très typique bœuf-carottes. À Achères, un peu plus haut sur le fleuve, on fête le céleri. Rien de particulier à signaler là-dessus sinon que l'apport calorifique du céleri est si faible qu'on dépense plus d'énergie à le digérer qu'à le consommer. En d'autres termes, plus on mange de céleri, plus on maigrit. Étonnant, non ? À Montesson, loin en amont, on fête le pâté. Précisément le pâté à la Carmen. Personne n'est capable de dire ce qui distingue le pâté à la Carmen du pâté commun mais tout le monde fait semblant de savoir. Là encore : fanfares, défilés de chars, retraite aux flambeaux et tout le tremblement. À Triel-sur-Seine enfin, on fête le flan. On pense trop peu à fêter le flan. C'est pourtant rudement bon le flan. Le dernier week-end de septembre, les boulangeries de la ville déballent planches et tréteaux sur le trottoir et invitent le badaud à se bâfrer. La commune est entrée dans le *Livre Guinness des records* il y a une dizaine d'années pour avoir réalisé le plus grand flan au monde. Combien mesurait ce plus grand flan du monde, vous demandez-vous ? Cette question est bien légitime et je vais y répondre. Le plus grand flan du monde mesurait cinq mètres dix de diamètre à la base. « Pfiou, déclara le major auquel je communiquai l'information. Ça fait grand pour un flan… »

Coïncidence ou virtuosité du narrateur, à cet instant du récit nous longeons précisément Triel, capitale du flan. « Le matin, c'est pas mon genre », avait déclaré Johnny la veille au soir. Wenceslas non plus n'était pas matinal. En connaissance, nous avions résolu de quitter l'île de Platais sans dire au revoir, sitôt les hamacs repliés, et décidé d'interrompre les avirons un peu plus loin, quand nous en trouverions l'occasion. Celle-ci devait se présenter une demi-heure plus tard, sur la rive orientale de Triel. Il y a là, attenant aux chantiers navals de Monsieur Mallard, le café buvette de Monsieur Mallard. Quelques chaises sous une tonnelle et Mallard derrière un comptoir. Le vieil homme désaltère les plaisanciers depuis la nuit des temps, moins les dimanches et jours fériés. À condition de bien articuler, il vous y sert sodas ou jus de fruits selon votre convenance. À noter que le récit des riches heures de Monsieur Mallard par Monsieur Mallard est compris dans le prix des consommations. Monsieur Mallard va sur ses 91 ans, ce qui représente une somme, comme dirait Waquet. À nous trois, nous n'avions pas son âge ; en effet le vieil homme marchait déjà lorsque Giscard vint au monde et il tenait la caisse de l'affaire familiale quand les Allemands s'amenèrent en France passer l'été 1940 et les quatre suivants.

— D'où venez-vous ? demanda Mallard.

— De Paris.

— C'est bien, répondit-il simplement.

Là-dessus nous commandâmes trois diabolos menthe. Mallard n'avait pas de limonade au frais. Ni de sirop de menthe. Il est rigoureusement impossible d'élaborer un diabolo menthe sans ces deux ingrédients. Waquet prétend qu'avec du Get 27 et de l'eau gazeuse on arrive à quelque chose de ressemblant mais ce n'est pas vrai. Mallard tira trois Orangina d'un frigidaire débranché et, du tiroir sous la caisse, un paquet de vieilles photos : des clichés de course au canard et de bal du 14 juillet, des saynètes du siècle précédent. Mallard les faisait voir à tous ses visiteurs. Les hommes d'alors portaient des pantalons à pinces et les femmes des ombrelles. C'était une époque en noir et blanc, vieille comme le monde, vieille comme Monsieur Mallard. L'homme avait passé sa vie entière sur cette berge, au bord de l'eau. Il y avait traîné sa longue silhouette mince. La Seine coulait dans ses veines et le fleuve rythmait son existence. Les crues lui servaient de repère. Par exemple, dans la chronologie personnelle de Mallard, l'année 1945 ne signifiait pas la capitulation du IIIe Reich et la fin d'une guerre mondiale, mais la crue du 16 février, mesurée à 6,83 mètres sous le pont d'Austerlitz.

Adrian s'étonna qu'avec toutes ces crues le comptoir et les meubles en bois n'aient pas gonflé pour autant. « De quelle essence est composé votre comptoir ? » demanda-t-il. « Absolument », répondit Mallard qui n'entendait plus très bien. Dix ans plus tard, en 1955, la Seine quittait à nouveau son lit, puis en 1982. « L'année dernière, elle est montée jusque-là », dit-il en désignant un guéridon. Dans l'esprit de Mallard, la Seine semblait une vieille petite fille capricieuse, imprévisible. « N'allez pas croire, elle a son caractère… » La Seine venait régulièrement s'attabler chez Mallard, et repartait, laissant comme chaque fois une ardoise d'eau croupie et de bois charriés. À quelques mois près, nous aurions eu l'eau à mi-cuisse. « Voilà, dit Mallard, vous savez tout. »

Le silence se fit. Un silence très naturel, pas gênant du tout. Ce genre de silence qu'on ne s'empresse pas de combler. Dix minutes passèrent. Mallard se raclait de temps à autre la gorge. Il était un formidable vieillard. C'est étonnant un formidable vieillard. Ça vaut largement vingt gus de vingt ans. Comme nous ne semblions pas manifester l'intention de partir, l'aimable nonagénaire proposa de faire voir son chantier. Un authentique chantier naval à la mode d'autrefois. Des hirondelles voletaient sous les tôles entre lesquelles perçaient çà et là des rais de lumière. Vingt ou trente coques de bois verni attendaient d'être radoubées. Je comptai dans ce désordre un Riva et une automobile Facel Vega, sous bâche. « Le propriétaire n'est jamais venu la chercher », dit Mallard pour lui-même… Il voulut nous faire voir aussi ses canoës, d'admirables canoës canadiens en bois latté, frêne et acajou.

— À propos que pensez-vous de nos rames ? hurla Samuel à son attention.

Monsieur Mallard s'interrompit net. Ce que nous prenions jusqu'alors pour des rames était en réalité des pagaies. « Des pagaies simples, pour être précis. » À la différence des pagaies, avirons et rames ont un pivot solidaire de l'embarcation. On appelle ces pivots *dames de nage*… « Vos pagaies m'ont l'air d'être en cèdre rouge : un bois peu dense, léger, résistant, avec une belle masse volumique… C'est bien… Voilà… Vous savez tout. » Monsieur Mallard ponctuait la moitié de ses phrases ainsi : « Voilà, vous savez tout. » Manifestement ce n'était pas vrai puisqu'il reprenait aussitôt la parole pour dire des choses que nous ne savions pas davantage. Mallard était à la fois loquace et secret. Il vous déballait sa vie en vrac mais il ne fallait pas trop s'approcher. Comme chez les antiquaires, on ne devait toucher qu'avec les yeux. Mallard, au demeurant, ne répondait pas aux questions, soit qu'il ne les entendît pas, soit, et c'est plus vraisemblable, qu'il fît semblant de ne pas les entendre.

Le vieil homme parla des crues, des bateaux, de son fils, des saisons qui se dérèglent, des bateaux, des crues, des bateaux, des saisons, des crues et de son fils encore. « Il a eu un accident », dit subitement Mallard. « C'est fichu, il ne reprendra pas le chantier. » Ses yeux s'embuèrent. C'était le drame de Mallard. Son fils ne prendrait pas la relève. Jamais. Et du haut de son âge, l'homme versa une larme qui lui roula lentement sur la joue. Cette larme suivait le cours d'un sillon depuis longtemps creusé. Quand elle eut atteint l'arête de sa mâchoire, Mallard l'essuya d'un revers de manche de blouse. « Voilà, dit-il en reniflant, vous savez tout. »

Quinze autres minutes passèrent. L'homme avait peu à peu repris ses esprits.

— En 40, les Allemands nous ont fait crever les coques à coups de pioche. Et pendant la débâcle, ils ont failli faire sauter le chantier avec les bateaux à l'intérieur. Le maire est intervenu.

Un type bien, le maire… Et de sacrés salauds les Allemands. Enfin pas tous. La majorité. Voilà.

— Et cette femme, en photo, derrière vous…, dis-je. Ne serait-ce pas… ?

— Oui c'est elle ! coupa Mallard ragaillardi.

Ça, par exemple ! Pour une coïncidence, c'en était une. Et de taille. Mallard attestait ce que j'avais pris pour une hallucination, tout à l'heure, en pénétrant dans le café. La dame de la photo, encadrée au-dessus du percolateur, cette dame qui posait bras dessus bras dessous avec Monsieur Mallard et semblait familière de l'endroit, cette dame qui ressemblait beaucoup à Véronique Sanson la chanteuse, cette dame, aussi incroyable que cela puisse paraître au lecteur, cette dame, disais-je, était Véronique Sanson. Depuis une trentaine d'années, la vedette habitait là, à deux pas du chantier. Mallard et Véronique étaient comme qui dirait cul et chemise. Naturellement, pour la crédibilité de ce récit, j'aurais préféré que ce fût Slim Batteux ou un autre, de notoriété moindre. Mais Véronique Sanson, la Véronique de notre bateau, non là, vraiment, c'était trop gros. Personne n'avalerait ça. C'était pourtant la vérité nue. La réalité dépasse la fiction pour une raison simple : la fiction doit rester vraisemblable. La réalité, elle, n'y est pas tenue.

— Allons voir, dis-je à mes gars. Nous saurons si Yodabreton a menti.

Mallard ne chercha pas à comprendre. Nous lui fîmes nos adieux et allâmes d'un bon pas sonner chez la dame de la photo. « C'est une grande maison à volets verts, avait dit le vieil homme. Couverte de vigne vierge... Vous ne la raterez pas. » Cinq minutes plus tard, nous fûmes rendus devant le portail. Les oiseaux gazouillaient dans la haie, une fenêtre était entrouverte à l'étage. Il y séchait du linge au balustre. Alors étrangement je me sentis moins brave. Véronique Sanson, dont je possédais toutes les cassettes, avait bercé mon enfance et mon adolescence. Elle était un mythe, une légende vivante. Et je m'apprêtais à sonner chez elle en sandalettes et frusques odorantes. Mon courage m'abandonnait.

— Toi, dis-je à Waquet, appuie donc sur l'interphone.

— Je m'excuse, répondit le major, mais tu es capitaine. L'honneur te revient.

C'était ma foi vrai. On ne peut pas tous les jours être un héros mais on peut toujours être un homme. C'est Goethe qui l'a dit. Je confiai ma pagaie au major et pris mes responsabilités. Si vous aviez vu comme mon cœur battait fort à l'instant d'allonger le doigt vers la sonnette de Véronique Sanson. Encore un instant d'hésitation et je pressai le bouton, tout frémissant d'espoir et d'inquiétude. Il ne se passa rien. Rigoureusement rien. « Es-tu sûr d'avoir appuyé », demanda l'écopier. « Attends un peu, dis-je. Laisse-lui le temps de nous ouvrir. » Trois minutes passèrent, je sonnai pour la seconde fois. Toujours rien. Je n'insistai pas, ni moi ni les deux autres. Et c'est de cette manière que nous ne rencontrâmes pas Véronique Sanson. La chanteuse.

— C'est peut-être mieux ainsi, dit Adrian un peu plus tard. De toute façon personne n'aurait voulu nous croire…

— *Si napo leo viveret, hominem non esset,* conclut Waquet. Traduction : « Si le lion vivait de navets il ne mangerait pas l'homme. » Conclusion : Waquet raconte n'importe quoi.

Nous passâmes Porcheville sur les coups de midi. Porcheville est célèbre pour les deux cheminées de sa centrale thermique, dressées vers le ciel comme les flèches d'une cathédrale. On les aperçoit depuis l'autoroute. Elles donnent la direction de la mer aux enfants. Plus jeune, en voyant les panaches de Porcheville, je savais que les plages de Normandie n'étaient plus loin. On aurait bientôt du sable entre les orteils. Mais devenu adulte, à fleur d'eau, le tableau manquait singulièrement de charme. En cet endroit particulièrement, la Seine empeste le chou pourri. La centrale de Porcheville avait fermé quelques mois plus tôt. Définitivement. Longeant les débarcadères désaffectés de frais, nous imaginions, l'équipage et moi, l'endroit dans dix ou vingt ans. Au pied des cheminées comme aux aisselles des adolescents, il pousserait des herbes folles. La centrale de Porcheville se négligerait. Aucun enfant ne la regarderait plus. Les cheminées ne donneraient plus la direction de la mer. Et par un soir d'orage, l'une d'elles s'affalerait sur l'autre dans un terrible fracas. Le fracas retomberait à son tour, laissant place au pesant silence. Resterait la falaise et les gravats. « Préfiguration des ruines du monde à venir », dit l'écopier, pensif. *Quia pulvis es et in pulverem reverteris*, ajouta le major, qui commençait sérieusement à me courir sur la fève avec son latin.

Nous accostâmes non loin, à l'extrémité de l'île aux Dames, pour nous reposer un peu et grignoter une bricole. La poupe de l'île aux Dames ne présente aucun intérêt particulier ni général. Elle est principalement constituée d'algues, de vase et de ronciers, mais elle offre une vue imprenable sur les flèches de la centrale. De nombreux déchets plastiques enrubannaient les branches basses. « Rien de plus triste qu'une nature souillée », dit Adrian en ouvrant une boîte de raviolis Belle France. Waquet voulut ajouter quelque chose mais je l'en dissuadai.

L'île aux Dames tient son nom actuel de la Révolution. La Convention y avait élevé un autel de la patrie devant lequel les femmes républicaines écoutaient la lecture des lois nouvelles, d'où son nom, l'île de la Réunion des Dames, puis l'île aux Dames. Elle accueillait aujourd'hui un skate-park et une réserve ornithologique.

Sur cette berge où nous déjeunions, un drôle de type vint à passer, juché sur son quad à moteur thermique. Il ralentit l'engin à notre hauteur et dit : « Pascal, enchanté. » Les voyages sont l'occasion d'établir un lien avec les populations indigènes. Il ne faut jamais rechigner à pratiquer le commerce des relations humaines. Ces rencontres fortuites et enrichissantes constituent le sel de l'aventure. Si vous avez de la chance, l'autochtone vous régalera du récit de légendes locales. Personnellement c'est ce que je préfère. Vous pourrez en contrepartie lui apprendre quelque chose qu'il ne sait pas, comme le fonctionnement des institutions de notre république. Rien ne sert de faire trop long. Un rapide exposé des caractères généraux du bicamérisme français et de son incidence sur l'affermissement de l'exécutif par le fractionnement du pouvoir législatif suffira amplement. C'est l'intention qui compte. Et le symbole. À défaut vous pourrez offrir une tasse de café ou une barre chocolatée.

Pascal aimait la nature, comme il nous l'expliqua en laissant tourner le moteur. Vraiment, il se désolait de la montée des eaux et du réchauffement climatique. « Une fois, il y a longtemps, dit Pascal, j'ai descendu la Seine en bateau de croisière. Un peu comme vous sauf qu'il y avait ma femme. On est allé jusqu'à Rouen. » Nous répondîmes que c'était une belle histoire et qu'il avait eu raison de la raconter. Pascal dit encore : « Sur l'eau, on voit des choses qu'on ne voit pas depuis la terre. C'est une question de point de vue. Tout est une question de point de vue. » Pascal dit deux ou trois autres choses dont je ne me souviens pas et il disparut en pétaradant. En voyage il n'est pas rare de rencontrer des

Pascal. Ce sont des gens qui surgissent des coulisses, vous récitent leur tirade et s'évaporent. Ils sont les figurants de nos vies, des hommes-foule solitaires, deuxième ou troisième rôle sans incidence sur l'intrigue. On oublie souvent de les créditer au générique. Peut-être Pascal était-il allé dire son histoire ailleurs. Ou bien il était retourné se cacher derrière le monticule, guettant les prochains canoteurs qui voudraient bien entendre que, lui aussi, un peu comme eux sauf qu'il y avait sa femme, a vu sur l'eau des choses qu'on ne voit pas depuis la terre. Car c'est une question de point de vue. Tout est toujours une question de point de vue.

J'entrepris de rêvasser. Étendu sur le dos, les bras en édredon, je suivais longuement, presque sans penser, les nuages blancs qui tantôt se fendent et tantôt se dissolvent. Je songeais à Mallard qui avait voulu toucher mon pompon pour se porter chance, à Wenceslas, à Johnny, tous ces gens et toutes leurs histoires cueillies au fil de l'eau, glanées à la volée. Une heure plus tard, l'écopier me tira de ce bon petit somme réparateur. Il avait trouvé dans un arbre un lambeau de tissu qu'il m'agitait joyeusement sous le nez.

— Que n'accrocherions-nous cette chaussette au sommet du mât, capitaine ? Ce serait notre pavillon. Ainsi nous saurions d'où vient le vent et hisserions la voile à bon escient.

Je ne jugeai pas l'idée suffisamment mauvaise pour m'y opposer. Notre voile s'était révélée depuis Paris au mieux encombrante, au pire inefficace. « Trois fois sur quatre, nous avait dit Johnny la veille, le vent vient de la mer. » Notre expédition se rendant précisément à la mer, nous avions les trois quarts du temps le vent contre nous. En langage maritime, on appelle cela un vent refusant. En langage populaire, on dit : l'avoir dans le baba ou dans l'os. Je n'avais pas prévu cela, mais peut-on tout prévoir ? En outre, chacun sait que le vent tourne, comme la roue. C'est même l'une de ses particularités. Une autre particularité du vent : sa méchanceté. Les rares fois où le vent nous avait semblé tourner en notre faveur, il se retournait sitôt que la voile était déployée. Avec le pavillon-chaussette, Adrian escomptait gagner en réactivité : nous hisserions la voile sans laisser au vent le temps de changer d'avis. Ce coquin ne perdait rien pour attendre.

FIG. 3. – Le réchaud à pétrole Eva-Sport.

15

Limite de navigabilité du Pass Navigo. – Confins du monde civilisé. – Premier chavirement.

Mantes-la-Jolie constitue la limite de navigabilité du Pass Navigo. Au-delà, l'usager des transports publics doit s'acquitter d'un supplément. Pour les Franciliens que nous étions, l'écopier, le major et moi-même, Mantes-la-Jolie représentait donc une frontière, la limite du monde connu et reconnu. D'une certaine manière, Mantes constituait les confins de la grande agglomération civilisée. L'aventure, la vraie, allait débuter. J'en avisai l'équipage :

— Jusqu'à ce jour, messieurs, nous voguions en *terra cognita*. Les territoires que nous allons désormais traverser ne figurent pas sur les cartes de la RATP (Régie autonome des transports parisiens). Après Mantes, il ne sera plus temps de renoncer. Si l'un de vous se sent fébrile, s'il hésite à continuer, je préfère le savoir maintenant. Personne ne vous jugera, sinon l'Histoire. Une dernière fois messieurs je vous le demande : êtes-vous parés ?

Je ne m'attendais pas à ce qu'ils s'exclamassent en jaculation – mes hommes sont pudiques – mais j'escomptais ne fût-ce qu'un semblant de clameur. Un murmure d'enthousiasme m'aurait suffi.

Adrian renifla.

« Quand est-ce qu'on mange ? » demanda Waquet.

Hors de propos, la réflexion du major n'en était pas moins sensée. Quand on s'apprête à cingler vers le grand large, mieux vaut être avitaillé. À l'entrée de Mantes, sur notre bâbord, l'écopier avisa un ponton sur lequel nous pouvions débarquer. Ce ponton présentait en effet toutes les apparences d'un ponton hospitalier. Il était en vérité un fameux hypocrite pour la raison qu'il nous joua un vilain tour. En effet ce ponton, prévu pour les navires de fort tonnage, était beaucoup plus élevé qu'escompté – environ un mètre au-dessus de la surface de l'eau. J'ai dit déjà, et si je ne l'ai pas dit c'est un oubli, que le bateau *Bateau* présente un tirant d'air (la partie émergée de l'esquif) d'une hauteur approximative de soixante centimètres. De sorte que *Bateau* aurait pu facilement se laisser entraîner sous ce ponton si le courant s'était avisé de forcir. C'est précisément ce que le courant fit à l'approche du ponton. Je tentai d'en agripper le rebord mais il était déjà trop tard. Malgré leurs coups de pagaie et mes protestations, le canot passa dessous le ponton et nous avec. Mais ce n'est pas tout. *Bateau* avait un mât. Or ce mât, lui, refusa de passer sous le ponton et les lois physiques étant ce qu'elles sont (butées comme des bourriques), *Bateau* n'eut qu'à se retourner ainsi qu'Orphée, c'est-à-dire comme une crêpe.

Je m'efforce de décrire cet épisode avec détachement, sans lyrisme excessif, mais son évocation me glace encore le sang. Voir d'un coup d'un seul mes hommes basculer dans les eaux noires est un souvenir franchement pénible. Nos affaires s'éparpillèrent en surface, d'autres coulèrent à pic. L'une de mes sandalettes fut immédiatement aspirée par le fond. Je sauvai l'autre de justesse – mais à quoi sert une sandalette orpheline ? –, cela sans parler du canoë dont nous découvrîmes qu'il ne flottait pas malgré la présence à la poupe et la proue de coussins dits flotteurs. Je tirai péniblement *Bateau* à la berge pendant que les deux autres sauvaient ce qu'ils pouvaient de notre chargement. En cas de naufrage, il convient d'agir vite. Chaque seconde compte. Mais surtout il faut pratiquer des choix. On ne peut espérer tout repêcher. Par exemple, mon réchaud à pétrole Eva-Sport (*figure 3*) fut sacrifié par le major au profit de son sac à dos personnel, lequel contenait un sachet de petits-beurre aux deux tiers entamé. Adrian quant à lui fut héroïque, et je pèse mes mots. Je le revois plonger, remonter à la surface, prendre à peine sa respiration et replonger encore. Grâce à ses efforts répétés les bidons et la tente purent s'en tirer. La carte aussi, et les contes de Maupassant, dont je faisais la lecture au moment du naufrage et qui sans l'acharnement de l'écopier auraient certainement dérivé jusqu'au Havre.

Une fois tirés d'affaire, sur le ponton nous fîmes l'inventaire. Outre le réchaud Eva-Sport et l'une de mes sandalettes, nous avions à déplorer la perte d'un saucisson (à l'ail), d'une cafetière italienne, de six rouleaux de papier toilette, du bob de l'écopier, de notre grille à feu et d'un tas d'autres choses que nous n'étions plus sûrs d'avoir ou non embarquées, comme le banjo d'Adrian et le boulier du major. J'estime qu'environ un quart de notre chargement disparut ce jour-là dans les eaux de Mantes-la-Jolie. Quand je repasse dans les environs, et malgré les années écoulées, je ne manque jamais d'avoir une pensée tendre pour le réchaud, et de méchants noms d'oiseaux pour cette vacherie de ponton. Ainsi se clôt le seul épisode vraiment fâcheux de notre voyage.

— Bon, dit Adrian alors que nous reprenions nos esprits, c'est pas le tout, allons nous refaire la cerise.

Étendues sur le quai nos affaires séchaient au soleil. Ne connaissant ni l'endroit ni son taux de criminalité, je décidai de ne pas laisser le canot sans surveillance et laissai un volontaire se désigner pour les garder. Comme il ne vint pas, une courte paille détermina que le major resterait tandis qu'Adrian et moi-même irions en ville nous ravitailler.

Cela vous vaut une description de Mantes-la-Jolie dont je dois dire qu'elle n'a pas volé son épithète. On l'attribue plaisamment au roi Henri IV. Dans une lettre adressée à Gabrielle d'Estrées, sa maîtresse, qui résidait à Mantes, il lui aurait écrit : « Je viens à Mantes, ma jolie. » Naturellement cette histoire ne tient pas debout et les mémorialistes n'ont jamais trouvé de telle lettre.

Le centre historique de Mantes ne date pas d'hier et conserve le cachet de l'ancien. Remarquables entre toutes, les deux tours symétriques de la collégiale sont d'une grande sveltesse, avec leurs guérites, leurs quatre étages, leurs galeries, leurs colonnettes qui fusent, fines et légères. Les Mantais prétendent que du haut de leurs tours, lorsque le temps est parfaitement clair, on aperçoit le Mont-Valérien et les moulins de Montmartre mais je n'y crois pas une seconde. À moi, on ne la fait pas

Empruntant quelque vieille rue encadrée de logis pittoresques, nous fîmes halte devant un commerce d'alimentation générale. Il s'agissait d'une épicerie minuscule, tenue par un nommé Mustapha. Ce brave homme vendait à toute heure toutes sortes de choses à des tarifs outrageusement prohibitifs : des conserves de légumes, bien sûr, des fruits frais, des piles aussi, des articles de farces et attrapes, le journal du jour et le pain de la veille. De taille honorable, son rayon vins spiritueux attira notre attention. Chacune des bouteilles portait au goulot une petite étiquette orange dont on aurait pu croire qu'elle renseignait le degré d'alcool. C'était en réalité le prix. « Quatorze euros ce muscadet, est-ce possible ? » dit Adrian qui ignorait que le voyageur, où qu'il aille, se fait toujours plumer. Sur les conseils de Mustapha, nous fîmes l'acquisition de trois muscadets, d'un Sidi Brahim, de pâtes, d'un taboulé Garbit, d'un camembert, et de six boîtes de sardines. Une heure avait passé quand nous rejoignîmes Waquet sur le ponton funeste. Il était tout chose. Comme on va encore dire que j'invente, je lui offre ici de donner sa version des faits. Cette passation est temporaire. Je reprendrai la main tout à l'heure. Attention, vous allez voir, c'est ampoulé.

15 *bis*

Compte rendu de Waquet, dit le major.
Fluctuat et un peu *mergitur.*

Je profite de l'occasion qui m'est donnée pour revenir un instant sur la déplorable coulée que notre capitaine, lui-même, causa. Il était presque midi lorsque nous arrivâmes en vue des tours de Mantes. Pris par un diable inconnu et soudain, Humm, c'est son nom pas celui du diable, suivez-moi, celui du capitaine –, Humm s'empresse de grimper sur le ponton, et, pris tout autant par la rapidité de sa réflexion, il pense la manœuvre et l'exécute mal – sans réussir à s'extraire de *Bateau,* le voilà sautillant agrippé au béton à mesure que l'embarcation s'approche du bord, passe sous le ponton, s'y enfonce plus sûrement et que lui, toujours indécis, repousse le navire en y cherchant un équilibre – le mât de fortune qui hissait notre gloire au-dessus des eaux sert ici notre ruine : la base fuyant sous l'embarcadère, tandis que le haut n'y peut aller, la tringle à rideau, par un traître effet de levier, bascule irrémédiablement le navire jusqu'à ouvrir son ventre à l'eau fluviale – nous fûmes au fleuve trop vite et sans orage –, le monde s'en va couler, compris quelques affaires que nous pleurerons à peine séchés : un réchaud hérité d'un grand-père et sa bouteille d'alcool à brûler, une paire de chaussons plastiques jamais portée pourtant acquise à l'occasion, d'autres babioles sitôt sûrement oubliées. Ces larmes versées n'étaient pas, cela va sans dire, liées à l'émotion qui nous prit à penser aux futurs aventuriers du fleuve qui, fouillant la vase, trouveraient les preuves de notre passage.

L'aventure, disais-je, attendait à Mantes. Qui l'eût cru ? Un faune, que les misères provinciales font surgir entre les platanes pelés d'une acratopège[1] allée, devait fournir un chapitre de plus à cette histoire. En voici la teneur : un faune, que les abords du fleuve attirent pour boire et trouver fortune, apparut au loin longeant les arbres riverains, alors qu'Adrian et notre capitaine étaient partis quêter l'eau et la chère en ville. Chargé de veiller à ce que le soleil tartine bien ses rayons sur nos affaires trempées, j'avais dressé les pagaies contre une balustrade en bois, et près de ces piliers réparti les sacs et les aumônières selon l'ordre tout relatif que, pensais-je, l'artiste inconnu reconnaît dans son œuvre, seul et en

1. Seul moyen stylistique capable de la sauver de son anonymat.

secret, comme suffisante récompense à son travail inutile. Régnant lascivement sur un empire de ballots mouillés, je voyais sur la berge approcher le faune, herbe fumante aux lèvres et bière à la main. Cherchant à éviter la rencontre avec le fils de Saturne, j'allais et venais entre le semblant d'une affaire déjà faite et l'ennui d'une tâche à faire. Mais le faune est déjà sur moi. Prévenant l'incongruité de ma situation en bord de Seine, je lui explique tout de go notre infortune, cependant que lui – la suite me l'apprit –, se prenant peut-être pour Nausicaa, croit voir Ulysse échoué nu sur le rivage d'Alcinoos. Nu, certes, je ne l'étais pas. Mais l'allure ruisselante et l'isolement relatif de ma position, en même temps que l'irréelle apparition d'un échouékayak à Mantes-la-Jolie – face au ponton –, pouvaient lui donner des raisons de croire l'incroyable. Il crut bon de s'asseoir sur le talus séparant l'eau de l'allée platanière, après m'avoir proposé de trinquer, puis de partager l'herbe qu'il éventait comme un soufflet bourré de cendre. J'étais malheureux de son aise. Je sentais confusément que le faune, sous l'innocence de ses appâts, me cherchait noise. Quant à saisir la forme exacte de la noise, j'attendais aveugle que le ciel m'en fît un dessin. Le ciel fut prompt ; pas assez cependant pour que j'eusse la liberté de me rapprocher des pagaies, pensant à m'en servir comme de gaffes à pulvériser l'importun s'il montrait du nez. De son côté, le faune, apprenant que deux amis étaient sur le point de revenir, se sentit pressé d'en arriver au fait et me révéla ce que j'avais pressenti. Transmué soudain en satyre, le voilà qui me parle à boule vue un langage d'Éros que je ne goûte pas, fait rougir mon visage sans pourtant l'enflammer, me laisse, enfin, étonné comme un héros devant la farce de son destin.

À cramoisir, mon visage devait s'être enlaidi assez pour stopper les élans généreux du satyre, et à peine avais-je pu me figurer correctement le sens de ses paroles, leur invite scabreuse, ma honte enfin ! que le faune s'était carapaté, en revenant de Mantes, pour disparaître au loin dans l'éblouissement de l'eau sonnée par l'angélus. En moi se rejouait la scène. Je me voyais calmement concasser son crâne à coups de rame, le réduire méthodiquement à rien ou presque, lui brésiller la gueule et m'en faire gloire, au rythme des cloches au loin qui sonnaient à tout rompre. « À tout rompre », bah voyons ! Je n'avais pas réussi à rompre mon mutisme et maintenant je me rêvais écrasant le mutin. Quelle peine ! Je désespérais d'avoir été si peu mobile.

Sur ces entrefaites, voilà que les bons amis reviennent, heureux d'avoir trouvé un rouleau de chatterton, de l'eau, du vin, quelques conserves et la joie d'un dimanche. Encore une chose qui va sans dire : ni l'un, ni l'autre, ne crut un mot à cette histoire ! Voilà comme sont payés les innocents. Ils sonnent comme le cor de Roland.

16

Rencontre d'un éclusier que rien n'obligeait à nous aider. – Les derniers maux du major. – La campagne telle que nous voudrions qu'elle soit. – Mécanisme ingénieux de la bouteille en laisse. – Campement sur l'île déserte de Saint-Martin-la-Garenne. – Initiation à l'astronomie. – Disparition de la bouteille de Sidi Brahim.

Nous avions laissé à droite le vieux Limay, feu le coteau des Célestins, dont le poète Regnard a chanté la vigne : *Que sur le clos Célestin / Tombe à jamais la rosée*, puis l'Ermitage et Saint-Sauveur. Au centre de la boucle de Guernes, Rolleboise et son étonnante allée de platanes. En sortie de boucle, nous rencontrâmes le barrage écluse de Méricourt. Inauguré à la fin du XIXe siècle, il comportait deux écluses de grande capacité, longues de 160 et 185 mètres. Seize millions de tonnes de marchandises y transitaient chaque année. Spontanément l'éclusier vint à notre rencontre :

— Qu'est-ce que vous foutez là ? Veux pas le savoir ! C'est interdit à la plaisance sans moteur ! Foutez-moi le camp ou j'appelle les poulets !

On le sentait sincèrement préoccupé de notre sort. Des gens que rien n'oblige à vous aider et qui, de fait, ne s'y obligent pas, ne laissent pas de m'émouvoir. Une fois encore, il fallut mettre pied à terre et porter le canot sur la rive afin de contourner l'ouvrage. Cette action s'appelle le portage. Le portage est une action fastidieuse et très pénible.

— Vous avez la chance d'avoir la santé vous autres, dit Waquet, alors que nous vidions le canot de son chargement.

— Comment cela ?

Le major prit une grande respiration et confessa le mal qui l'accablait depuis ses jeunes années : un mal de dos chronique et incurable dont il ne s'était jamais ouvert à personne. En quinze ans, une douzaine de médecins s'étaient penchés sur son cas. Aucun n'avait encore posé de diagnostic mais en attendant ils lui proscrivaient toute charge lourde. Un seul manquement à cette règle et Waquet risquait la hernie.

— Pourquoi n'as-tu jamais rien dit ? demanda l'écopier.

— La pudeur, répondit le major. Vous n'imaginez pas combien j'ai honte.

Il nous fit jurer de ne rien dire à personne. Waquet ne voulait pas qu'on le plaignît. Dans son malheur, il demandait à être traité comme s'il avait été valide et bien portant, comme si nous n'avions rien su de ses souffrances. Il en allait de sa dignité d'homme. « Ce sera notre secret », répétait-il et, n'eussent été les circonstances, sans doute l'aurait-il gardé pour lui. « Faites-moi plaisir mes amis, ne vous inquiétez pas. » J'étais tout disposé à faire plaisir au major mais, au fond de moi, je ne pouvais m'empêcher de m'inquiéter un peu quand même. Il se trouve que le bateau *Bateau*, à vide, pèse à peu près autant que la misère du monde.

— Si seulement je pouvais vous aider à porter le canot, dit Waquet. Laisser les copains dans la panade, au fond c'est ça le plus difficile.

On touchait précisément à l'objet de mon inquiétude. Si je comprenais bien, et je comprenais bien, nous allions endurer seuls avec l'écopier l'ensemble des portages tandis que lui, Waquet, se passerait de la pommade sur les lombaires. « Je crois que le major est en train de nous la faire à l'envers », dis-je à l'écopier. Adrian se contenta de mettre la poupe à son épaule. Je résolus de l'imiter à la proue. Nous portâmes *Bateau* sur trois cent cinquante mètres environ cependant que Waquet nous encourageait en fredonnant *La Bonne du curé.* J'étais dans un état proche de l'inanition quand nous atteignîmes l'autre versant de l'écluse où l'eau coulait quatre mètres en contrebas. L'éclusier secourable surveillait notre manœuvre d'un œil mauvais mais attentif. Il n'appela pas les poulets.

Après Rolleboise, la nature devint enfin naturelle, c'est-à-dire plus conforme à l'idée que les citadins se font de la campagne. Il y avait des arbres, des coteaux, des châteaux et dans le ciel des oiseaux rigolos. Nous autres, habitants des rues, nous avons un mot pour cela : « bucolique ». Ce mot désigne la campagne telle que nous voudrions qu'elle fût : propre, paisible, champêtre et peuplée d'écureuils gentils. Cette campagne-là est plus émouvante que la vraie. Parmi les collines ondoyantes et les prés odorants y vivent des hommes pleins de bon sens qui se lèvent et se couchent avec le soleil. Leurs femmes portent des nattes et battent la crème en habit, comme dans la publicité pour les yaourts La Laitière. On ne résiste pas à l'onctuosité d'un yaourt La Laitière. Pas moi en tout cas. Et si j'avais demain à redescendre la Seine, il est certain que j'emporterais une palette de yaourts La Laitière, qui sont si onctueux et tellement pratiques en voyage car les petits pots de verre, une fois vidés de leur délicieux contenu, font d'avantageux photophores ou servent de verres à liqueur. D'ailleurs s'il vient au service commercial de La Laitière, en contrepartie du paragraphe qui précède, l'idée spontanée de m'offrir une palette de yaourts, de préférence parfum vanille, merci de l'adresser à l'éditeur qui fera suivre.

Nous longeâmes encore Sandrancourt, Mousseaux et décidâmes de relâcher sur l'île déserte de Saint-Martin-la-Garenne, à hauteur de Vétheuil, où trois chaises en plastique étaient destinées à l'accueil du public. Manifestement, d'autres aventuriers étaient passés là. Je fis le point sur la carte. Nous venions d'abattre quarante-trois kilomètres dans la journée. C'était respectable. Encore entamés par le portage, nous choisîmes de faire l'impasse sur l'exploration de l'île, la toilette et le repas. Un bon feu, une bonne bouteille, voilà qui suffirait. Waquet alla pêcher le dernier muscadet. Le major avait eu seul l'inspiration de ce mécanisme astucieux : pour conserver tout le jour le vin au frais, il laissait traîner dans le sillage de *Bateau* une bouteille retenue par le goulot à deux ou trois mètres de ficelle. Du matin jusqu'au soir nous remorquions la bouteille comme un baleineau harponné. Quand le baleineau était débouché, Waquet se hâtait de le remplacer par un baleineau neuf. En trois jours, ce système avait fait ses preuves. Six vins avaient déjà passé au bout de notre laisse. Certaines fois les plus ingénieuses trouvailles proviennent de cerveaux tels que celui de Waquet. C'est le mystère du génie humain. Le major a peu d'idées mais il a de la suite dedans.

Quand le tire-bouchon eut rempli son office, et le sang de la vigne nos verres, nous parlâmes des manquements de la Banque centrale européenne en matière de politique agricole commune et de la délicate recette de la poule au pot à la béarnaise. Le secret, disait Waquet, consiste à fourrer la préparation la veille sans faire ramollir le pain rassis avec du lait car il faut que la farce reste ferme. Puis je me laissai aller à quelques prospectives géopolitiques. J'imaginais qu'une pandémie venant de Chine paralyserait bientôt le monde. « Ah ? » dit Adrian. « Oui, pendant plusieurs années. Après quoi la vie reprendra son cours, une guerre éclatera en Ukraine et Nantes emportera la coupe de France. » Adrian se montrait sceptique : les Nantais sont trop fébriles en défense, pensait-il, pour espérer aller au-delà des demies. « Vous verrez, dis-je, vous verrez. » De petites nappes de brouillard descendaient le courant mais le ciel était clair. Un arbre trempait ses branches basses. Il régnait un grand silence. Au fond de ce silence on aurait pu distinguer le grondement du barrage de Méricourt mais, pour la première fois, nous ne couchions pas à proximité d'une gare ou d'un viaduc ferroviaire. Nous avions enfin semé la ville. C'étaient le début de l'ensauvagement, la lisière de notre aventure.

Quand Waquet eut fini de parler relèvement des taux directeurs face à l'inflation record en zone euro, Adrian proposa de nous initier à l'astronomie. On reconnut d'abord Grande Ourse, dont il faut multiplier par sept le rebord de la casserole pour atteindre l'étoile du Berger, et aussi Petite Ourse, au manche nettement moins long que la Grande, et de contenance plus modeste.

— Entre les deux Ourses s'enroule le Dragon, dit Adrian, en direction de Vega, l'étoile la plus brillante de la constellation de la Lyre.

— J'en vois une qui clignote, fit le major.

— Il doit s'agir d'un satellite en perdition, répondit Adrian. Là-haut aussi c'est la poubelle…

À quelques milliards d'années-lumière tout au plus, Cassiopée brillait de ses feux. Cassiopée est une constellation circumpolaire très facilement reconnaissable grâce à sa forme de « W ». Circumpolaire signifie que cette constellation ne disparaît jamais sous l'horizon du spectateur et reste visible toute la nuit en toute saison. « L'étoile la plus brillante de Cassiopée est une géante orange, nous apprit Adrian. 42 fois plus grande que le Soleil et 855 fois plus lumineuse. » L'étoile d'à côté pour sa part était une éruptive, tournant sur elle-même à la vitesse de 300 kilomètres par seconde. « On en apprend tous les jours », dit Waquet avec modestie. Chacun de ces soleils était de proportions inconcevables et nous les embrassions d'un seul regard. Il fallait que nous fussions loin pour que les étoiles nous semblent si proches. « Décidément l'univers est bien vaste, pensai-je, et l'espace ô combien spacieux. » Là-dessus, comme je sentais que je fatiguais un peu, je pris congé. Les deux autres continuèrent de deviser longuement. Je ne les accuse pas mais le fait est qu'au matin la bouteille de Sidi Brahim avait disparu.

17

État des lieux à mi-parcours. – Mérites insoupçonnés du pompon. – La nature est bien bonne quand elle le veut, hélas elle ne le veut pas longtemps.

Lumineux était le ciel et à l'envers étaient les phrases, pour se donner l'air littéraire et briguer un prix de l'Académie. L'été nous soufflait au visage. Les journaux que nous ne lisions pas délayaient sur la canicule mais, au ras de l'eau, nous n'avions pas à souffrir de la touffeur. Il y avait quatre jours que nous voguions. Quatre jours suffisent à rendre le plus parfait honnête homme à l'état sauvage. Il semblait cependant que la mécanique se rodait. Les rouages entre les différents membres de l'équipage se graissaient insensiblement (c'est une image). Nous apprenions à nous ménager les uns les autres. L'épreuve du naufrage avait resserré nos liens. Nous gagnions en tolérance et en humanité. J'avais jugé Waquet un peu vite : les chaussures bateau, la bouteille en laisse, tous ces efforts pour nous cohésionner, ce garçon avait de la ressource. Quant à l'écopier, quoique brouillon et négligent, il était fort comme un Turc et n'avait depuis le départ jamais cessé d'avironner. Les premiers jours j'avais bien insisté pour le relever mais à la première occasion il reprenait son poste et ne le cédait plus. Nous en avions, le major et moi, pris notre parti. En vérité cela nous arrangeait bien de laisser l'écopier ramer. Mais il n'est jamais anodin pour un chef d'admettre qu'il n'est pas la force motrice du groupe. Quand elle ne repose sur aucun ascendant physique, son autorité risque d'être mise à mal. À plusieurs reprises ces derniers jours Adrian et Waquet avaient d'ailleurs prétendu que je ramais mal. « Dans cet exercice, disaient-ils, seule la continuité paye. Et tu rames par à-coups. » J'eus beau leur expliquer que si j'observais un arrêt après chaque brassée c'était pour leur éviter les éclaboussures, ma nage, c'est vrai, était moins cadencée. Je n'avais pas le coup d'aviron plein d'aisance et d'entrain d'Adrian, ni celui laborieux mais opiniâtre du major. Heureusement, je possédais un bâchi. Un bâchi dont Mallard avait touché le pompon pour se porter chance. Ce n'est pas rien un Mallard qui vous touche le pompon. C'est à moi que le vieil homme s'était d'abord adressé. Au premier coup d'œil, le bâchi m'avait distingué du reste de la troupe. On voyait bien que j'étais d'un autre rang. Les chapeaux fastueux, surtout s'ils ont un pompon ou des plumes, comblent avantageusement les carences du chef. Les militaires savent cela. D'ailleurs ne dit-on pas couvre-chef ? Cette pensée me rasséréna.

À cent trente kilomètres de notre point de départ, nous avions désormais Haute-Isle sur notre tribord. Le petit village de Haute-Isle à mi-chemin de Vétheuil et de La Roche-Guyon est célèbre en raison du souvenir de Boileau qui maintes fois y a séjourné. Haute-Isle est aussi réputé pour ses habitations taillées dans le roc, son église formant crypte, ses falaises crayeuses qui, de loin, se détachent si intensément sur le ciel et la verdure. Jusqu'à La Roche-Guyon, nous verrions sans cesse de ces étranges collines, chauves, calcinées, s'enchaîner en bordure du fleuve, vis-à-vis la plus opulente campagne. Nous les verrions s'élancer en pics, s'arrondir en dômes, se croiser en triangles, s'épointer en pyramides et dessiner d'énormes silhouettes curieuses. Du flanc de ces falaises on voyait autrefois s'envoler des spirales de fumée car, dit-on, elles renfermaient de pauvres logis, creusés dans le tuf depuis des siècles. Ces habitats misérables portent dans la région le nom de « boves ». Depuis le bord on les apercevait encore. Bien sûr ils ne fumaient plus.

« Avec ce qu'on a dans le ventre on risque pas la congestion », déclara le major. Adrian d'ajouter : « Et cette foutue voile qu'on s'trimballe pour peau d'balle. » Il s'agissait d'un alexandrin. Adrian est poète, on l'a dit, mais il n'est pas prévisionniste car, ce jour-là, le vent devait tourner en notre faveur. Voici comment la chose advint. Nous ramions – ils ramaient – depuis le matin. Nous approchions de La Roche-Guyon. La Seine semblait frémir. De légers ris la plissaient en surface. La voile ondulait mollement et notre pavillon-chaussette avait le hoquet. Quand tout à coup, un vent qui était plus qu'une brise et moins qu'une risée fut assez fourni pour laisser croire qu'il allait s'établir. Sans attendre je lâchai l'aviron pour border les écoutes fixées aux quatre coins de la voile et guinder le cœur palpitant notre rideau de douche. La voile se gonfla tout à fait. *Bateau* parut hésiter, cabra un instant, décocha une ruade et partit au galop comme une pouliche en liberté. Comment vous rendre ces minutes radieuses ? Toutes rames dedans, nous filions par la force des choses. Une crinière d'écume se formait dans notre sillage. Le mât ployait mais tenait bon. « Hourrah ! » hurla l'écopier ! « Hip, hip », renchérit Waquet. C'était très bonnement fabuleux, la prophétie se réalisait. Ce miracle – et je pèse mes mots – dura en tout et pour tout douze secondes. Les douze plus belles secondes de notre vie. Après quoi le vent retomba comme il était venu. L'existence n'aurait plus jamais la même saveur.

18

À propos de ce qui n'a rien à voir. – Historiette authentique, incongrue et sans grand intérêt. – Hostilité de l'équipage. – Coup de poker du capitaine. – La grâce de Charlène. – Les idées de Bakounine.

À propos de ce qui n'a rien à voir, ça me rappelle cette fois où, devant me rendre à Dieppe pour raisons personnelles, j'empruntai le train express régional de 13 h 47 au départ de Rouen. L'histoire se déroule en hiver et j'occupe seul la rame. En gare de Montville Eslette monte une dame d'un certain âge, entre soixante et soixante-dix ans environ, plus proche de soixante-dix ans je pense, mettons soixante-huit, portant pelisse et manchon. Ce détail m'avait marqué car on ne voit plus guère de manchons de nos jours. Par temps sec et froid, le manchon est pourtant bien pratique pour se tenir les mains au chaud. Le seul inconvénient du manchon, c'est qu'il occupe les mains qu'il tient au chaud. Impossible, par conséquent, de tapoter sur un téléphone avec un manchon. Je n'ai pas moi-même essayé mais à mon avis ça ne donne rien de bon. Avoir les mains glacées ou tapoter sur un téléphone, l'humanité semble avoir choisi. Ainsi va l'évolution de l'espèce.

Pour faire usage d'un manchon, il est probable que la dame en question devait avoir au moins soixante-quinze ans. Peu importe. Je pressens qu'elle va m'adresser la parole. Je le pressens car j'en ai l'habitude : les raseurs viennent me raser, j'agis sur eux comme un aimant. Dix minutes passent, je relis le passage où Gérard Larcher raconte son service militaire à la caserne de la Garde républicaine, et ça ne loupe pas : « Vous n'êtes pas allergique au moins », demande la dame en me désignant son manchon. Le manchon tourne la tête, remue la queue et aboie. J'en déduis que le manchon est un chien. « C'est un bichon maltais », confirme la dame qui, en y repensant, devait avoir soixante-dix-huit ans bien tapés. « C'est comme le caniche si vous voulez, mais avec une tête plus large et des oreilles triangulaires. » Tout cela me passionne. La dame ajoute que les bichons sont des chiens généralement très intelligents mais que le sien l'est supérieurement. « On les utilise dans les cirques », explique-t-elle, façon de dire combien ils sont intelligents. L'argument ne me convainc pas. Avec tout le respect dû aux clowns et autres trapézistes, je n'ai jamais entendu dire que les cirques étaient réputés pour être des viviers de têtes pensantes. À ma connaissance on ne recrute pas les prix Nobel chez Bouglione ou Zavatta. Que les caniches et les bichons soient intelligents et même spirituels et profonds, je ne dis pas, mais le cirque n'a rien à voir là-dedans. Les gens parfois s'empêtrent dans des argumentaires confus qui rendent inintelligibles leur propos et se lancent dans des phrases dont ils n'ont pas seulement idée comment elles finiront. Passons. L'octogénaire souhaite m'entretenir du caractère des bichons : généralement très affectueux, joueurs et sociables, ils sont le meilleur compagnon de l'homme. Vis-à-vis des autres races de chiens, je dois ici nuancer les propos de la dame. Non les bichons n'ont pas toutes les qualités. Par exemple, ils montrent peu d'aptitude à la chasse ou la défense d'un territoire. Du fait de leur ressemblance avec le manchon, les bichons se trouvent en incapacité de faire fuir les voleurs. En gare de Clères, deux minutes d'arrêt, j'apprends que le bichon de la vieille dame sénile s'appelle Fa Dièse. « Voulez-vous savoir pourquoi ? » demande l'ancêtre. Je demande pas mieux. « De même qu'il y a sept couleurs primaires et autant de jours dans la semaine, nous possédons sept chakras, monsieur. » J'avais raison de me méfier tout à l'heure, l'histoire risque de durer un moment. « Chacun de ces chakras est lié à une note de musique. Or le *fa* dièse, voyez-vous, est l'unique note de la gamme à connecter la terre et le ciel. Il correspond au quatrième chakra. C'est la note du cœur, comprenez-vous ? Tant et si bien qu'il fut un temps où l'Église interdisait l'usage du *fa* dièse, jugé par trop sensuel et dangereux. » Ainsi va la vie, toujours surprenante. On est là tranquillement installé dans un compartiment de TER à lire du Larcher, une dame monte, à laquelle on demande par politesse le nom de son manchon, et on se voit servir un topo sur le pouvoir des sons pour l'harmonisation des chakras. « D'instinct Mozart a senti cela, reprend la dame : l'essentiel de son œuvre est composée en *fa* dièse. C'est pourquoi bien des profanes, sans trop se l'expliquer, aiment Mozart. Ça touche à leur intime. » Et nous touchions au terme de son exposé. La dame descendait à Auffay. Sans cela nous aurions certainement évoqué le *mi*, qui connecte au chakra plexus solaire. Souvent je repense à cette dame et son manchon en laisse. Un ami musicien auquel je contais l'anecdote m'a depuis assuré que Mozart n'avait jamais rien composé en *fa* dièse. Pas une seule petite sonate. Mais je n'en veux pas à la dame au manchon. Son histoire était suffisamment curieuse pour qu'on lui pardonnât d'être fausse.

— Très inintéressant, commenta le major, qui ignorait tout du concept de ventilation narrative.

— C'est ton opinion, lui dis-je.

— C'est la mienne également, coupa l'écopier à qui on n'avait rien demandé.

C'était donc net. Adrian et Waquet se liguaient contre moi. Depuis quatre jours, en toute occasion, ils discutaient les ordres et dénigraient mon gouvernement. Je faisais face à une hostilité grandissante. Qu'à cela ne tienne, je décidai de frapper un grand coup et réunis l'équipage en séance extraordinaire. Après un rapide rappel de mes états de service, le commandement de *Bateau* fut mis aux voix. Dans l'instant, sur ce canot même, je soumettais au scrutin mes galons de capitaine. S'ils me désavouaient, je m'engageais à quitter sur le champ mes fonctions. Si au contraire leur vote me confortait, j'asseyais mon pouvoir. Comme dirait Gérard Larcher citant Danton : « De l'audace, encore de l'audace, toujours de l'audace, et la France sera sauvée. »

Cela surprit le major, qui ne l'avait pas vue venir, celle-là. Cela surprit moins Adrian qui ne se laisse pas surprendre facilement. Comme on l'a vu déjà, Adrian se fout à peu près de tout, en particulier de ce qui concerne l'essentiel. Dégagé de tout intérêt pour les contingences matérielles et l'actualité prosaïque, il ne semble pas investi dans la vie de la cité. En fait, je crois qu'il nous méprise un peu, le major et moi. Cette formidable entreprise – le voyage de Paris à la mer par voie d'eau – n'est peut-être pas assez grande pour lui. Adrian rêve plus haut. C'est un travers courant chez les jeunes aventuriers. Ils s'estiment supérieurs. En vérité je ne supporte plus les petits airs condescendants d'Adrian.

Cela n'empêcha pas cette fois-ci l'écopier de se plier à l'exercice démocratique. J'avais prévu de procéder à bulletins secrets, le nom du candidat devant être inscrit sur un bout de papier glissé dans l'urne, et ce afin d'éviter toute irrégularité. Comme je dis souvent : quitte à bien faire les choses, autant les faire au mieux. Hélas, nous n'avions à bord ni urne ni papier et nous procédâmes à main levée. Waquet reçut une voix, la sienne, et Adrian obtint un score similaire. En ballottage défavorable, je décidai de m'abstenir et me retirai de la course. À compter du chapitre 18, au terme de ce simulacre d'élection, Adrian et Waquet devinrent seuls maîtres à bord. Après cent quarante pages, j'étais démis de mes fonctions. Je découvrais de quoi sont capables les incapables et combien peut être grande la petitesse des faibles. Quelle ingratitude… Ces gens que j'avais aimés comme des fils et paternés comme des employés faisaient de moi leur subalterne. Comme dit mon oncle Agathe : « Ils se plaignent la bouche pleine. » Même Adrian le poète s'était laissé corrompre par la tentation du pouvoir. Ses beaux principes je-m'en-foutistes avaient volé en éclats. Quant à Waquet, il devint résolument infect et me donnait désormais du « matelot ».

Le nouvel état-major m'informa que nous continuerions d'aller à la mer mais selon leur rythme et leurs envies. À l'avenir nous voguerions sous le règne du bon plaisir d'Adrian et Waquet. De ces événements je tire la morale suivante : la démocratie est une affaire trop sérieuse pour qu'on laisse s'en mêler n'importe qui. Ce qui met à mal ce régime, c'est qu'il s'adresse aux médiocres, à cause du nombre. À mon avis, la démocratie n'a aucun avenir si tout le monde y met son grain de sel. Adrian et Waquet, par ma faute, avaient acquis le droit d'ingérence. Ils coupaient une tête pour coiffer la couronne mais ils ne pouvaient soupçonner la somme de responsabilités corrélatives. On couve un grand danger à laisser les gens décider de ce qui est bon pour eux. Ils ne sont pas habilités, ni fondés à le savoir. La loi du nombre mène immanquablement à la paresse et la ruine.

Justement, Adrian et Waquet décidèrent que nous irions déjeuner dans une brasserie de Vernon au motif que nous avions fort mal mangé depuis le gueuleton de Chatou. Peu leur importait qu'il y eût à deux kilomètres de là Giverny. Je n'avais plus voix au chapitre. Nous laissâmes *Bateau* en plan et nous présentâmes devant la brasserie Le Domino, 32, rue Carnot à Vernon. Une serveuse aux cheveux bleus nous fit installer en terrasse. « Je m'occupe de vous dans une minute », dit Charlène. J'avais beau avoir roulé ma bosse à travers le monde, jamais encore je n'avais rencontré personne ayant les cheveux bleus. Roux, oui, mais bleus jamais. En ce qui me concerne je suis très satisfait de ma dotation capillaire et je bénis le ciel de m'avoir fait les cheveux châtains et soyeux, mais force est d'admettre que le bleu allait bien à Charlène et lui allait même très bien. C'était un ravissement pour les yeux. Nous aimâmes Charlène dans l'instant et je crois ce sentiment partagé car elle vint à quatre reprises remplir la corbeille de pain sans s'agacer. « En plat du jour, dit Charlène d'une voix qui faisait songer au roucoulement d'une palombe, il va me rester trois suprêmes de volaille. » Pour lui être agréable, nous commandâmes les trois suprêmes qui restaient à Charlène ainsi qu'une nouvelle corbeille de pain et un carafon d'eau plate et gratuite.

En attendant les plats, quelques éléments d'information sur la ville de Vernon : forte de ses 23 000 habitants, au carrefour des routes d'Évreux à Beauvais et de Paris à Rouen par la vallée de la Seine, Vernon est la ville natale d'un général des armées de l'Empire, de la muse de Flaubert et d'Ousmane Dembélé, avant-centre du FC Barcelone. Vernon est aussi le berceau de l'aventure spatiale européenne. La première fusée française, la Véronique (pour Vernon électronique, rien à voir avec la chanteuse) y a été conçue et développée après la guerre, au Laboratoire de recherches balistiques et aérodynamiques (LRBA). Une dernière chose encore : le suprême de volaille servi au Domino est un peu sec et manque d'aromates. Mais le pain est excellent, l'eau fraîche et le personnel de grande tenue. Adrian et Waquet semblaient satisfaits. Ils ne firent aucune difficulté pour me laisser payer.

De retour au canot, l'écopier prit la parole. Maintenant qu'il avait bien mangé et après mûre réflexion, Adrian préférait renoncer au pouvoir. Les responsabilités aux mains de quelques-uns, disait-il, ça n'était pas conforme à ses convictions anarchistes. En effet la lecture de Bakounine l'avait rendu sensible aux idées sociales libertaires. Adrian développa les grandes lignes du *Catéchisme révolutionnaire* et tint quelques propos fiévreux. Non seulement Adrian ne voulait plus être chef, mais encore il s'opposait à l'idée même d'un chef. Mieux, il prévoyait de passer à tabac quiconque se revendiquerait comme tel. Dans ces conditions, Waquet résolut de démissionner à son tour. Au vrai, soutenait l'écopier, nous n'avions pas besoin de chef et pouvions nous passer de lois. Il suffisait d'être un peu plus tolérants les uns avec les autres pour vivre en harmonie et nous satisfaire tous trois. C'est le fait social qui crée la liberté, dit Adrian. Cette réforme prit effet dans l'instant. Kilomètre 151, à hauteur de l'île Maurice (Eure), tout privilège fut aboli et nous devînmes égaux.

Waquet déclara qu'il lui était égal que nous fussions égaux à condition de l'être un peu différemment des autres. Il demanda la permission de conserver son titre de major, auquel il s'était habitué. Nous lui accordâmes cette faveur. De même, je redevins capitaine. Mais il était convenu entre nous que ces titres seraient désormais honorifiques. Adrian quant à lui voulut qu'on l'appelât Bobby. « Bobby ? » s'étonna le major. J'étais étonné moi aussi. Mais, après tout, n'étions-nous pas au XXIe siècle ? Il n'y avait aucune raison qu'Adrian s'en tienne au patronyme qu'on lui avait arbitrairement assigné à la naissance, selon des traditions patriarcales, oppressives et rétrogrades. Puisqu'il désirait s'appeler Bobby, c'était tout vu, nous l'appellerions Bobby. D'autant que c'est assez gracieux, Bobby, une fois l'oreille accoutumée. Ça sonne bien. Nous en convînmes tous trois. Sur ces entrefaites, ravis d'être devenus bons, égaux et bienveillants, nous nous remîmes en ordre de marche, moi, le major et Bobby l'écopier.

18 *bis*

De l'importance de l'énoncé, au-delà des exercices de mathématiques, pour assurer le résultat attendu. – Furtive exégèse du capitaine. – Curieuse et pourtant véridique joie de vivre. – Le Mozart de la pâte à sel.

Nous ramions depuis une heure quand le major offrit de raconter la blague la plus drôle du monde. Il se tordait de rire rien qu'à y penser. « Elle est absolument crevante, vous allez voir ! » Je restai sur mes gardes. De l'avis général, le major n'est pas le plus qualifié sur les questions relatives à l'humour. Quand il lui arrive d'être comique, c'est le plus souvent non intentionnel. Personnellement, je préfère quand le major s'en tient à parler de la Rome antique au Ve siècle. Voilà son véritable domaine de compétence.

Cependant le major semblait tenir très fort à nous dire sa blague et, du moment qu'il se l'était mise en tête, il ne pouvait plus la garder pour lui : elle lui faisait trop mal au ventre. En outre, rire est le propre de l'homme et permet d'évacuer le trop-plein de tensions qui nous empêchent quotidiennement. Si la blague du major était aussi drôle que le prétendait le major, elle le serait bien un peu malgré tout, même racontée par le major. Nous acceptâmes donc sa proposition et j'arrêtai de ramer pour écouter.

— C'est un Américain, un Chinois et un Français dans l'espace. Vous la connaissez, non ?

Pour ma part je n'avais jamais entendu parler d'une telle situation. Mais tout ce qui a trait à l'espace et au cosmos suscite mon intérêt. Je redoublai d'attention.

— Bon voilà, ils sont dans l'espace en mission. Ils sont là, bon, dans l'espace, en mission, ils rigolent, tout ça, la fusée, et cætera… donc, bon, très bien, et là, tout à coup, le moteur s'arrête…

Waquet avait mis deux bonnes minutes à planter ce décor. Il était secoué de spasmes. Qu'un Américain, un Chinois et un Français se trouvassent ensemble dans l'espace le portait déjà au comble de l'hilarité. J'attendais la suite avec impatience. Elle fut résolument plus confuse. Entre deux hoquets, Waquet oubliait des personnages, en ajoutait d'autres, confondait les situations. À mi-course, le Chinois devint belge et nous n'étions plus dans l'espace mais à bord d'un avion à réaction. Et l'avion prenait feu et perdait de l'altitude. Pardon il ne prenait pas feu mais il perdait de l'altitude tout de même. D'ailleurs il ne perdait pas d'altitude mais sa cabine dépressurisait (Waquet faisait avec sa bouche le bruit de la dépressurisation). Et quelqu'un toquait au hublot. Et l'Américain sautait en parachute. Et le Chinois belge tentait de rétablir l'appareil. En fait il n'y avait pas de parachute, c'est pourquoi l'Américain restait à bord. Mais le Français pilotait la fusée. En fait il était un singe, et l'avion s'écrasait dans la jungle.

C'est une expérience douloureuse que le récit raté d'une blague. C'est pourquoi, je suppose, nous rions si fort quand ça réussit : à la mesure du risque encouru par l'orateur. En principe, ce dernier ne se lance que s'il connaît la blague et maîtrise *a minima* le début et la fin. C'est une convention établie entre l'orateur et son auditoire. Sans quoi le malaise de l'auditoire est renforcé par la honte de l'orateur qui s'embourbe. Dans le cas présent, Waquet ne semblait pas éprouver la moindre gêne. Il pédalait dans le taboulé mais cela ne l'indisposait nullement. Aujourd'hui encore, l'épisode de la blague du major constitue l'un des souvenirs les plus traumatisants de notre descente de Seine. Pire encore que les portages, le chavirement à Mantes, le dématage à Rouen ou l'autre chavirement qui réveillera le lecteur aux environs de la page 260. Waquet pleurait de rire, bafouillait, se reprenait. J'étais tout à fait perdu et plutôt mal à mon aise. Comme Waquet ne se souvenait plus précisément de la chute, Bobby prit le relais. Bobby connaissait la blague mais n'avait rien dit parce qu'il ne l'avait pas reconnue tout de suite. C'est le coup du hublot qui l'avait mis sur la piste. En réalité ça ne se passait pas dans un avion mais à bord d'un sous-marin. Et on toquait à la porte de ce sous-marin. Et le Belge (il était bien belge) allait ouvrir et on peut supposer que ça finissait mal pour lui. Comme j'attendais de connaître la suite, Bobby dit que voilà, c'était fini, la blague était terminée. À ce moment, il n'y avait plus sur le visage de Waquet la moindre trace d'hilarité. Waquet dit que Bobby lui avait gâché sa blague et qu'à ce compte-là il n'en raconterait plus. Bobby dit qu'il ne demandait pas mieux dans la mesure où Waquet était le pire interprète de blague qu'il ait jamais rencontré dans sa vie. Quant à moi je ne comprenais pas pourquoi le Belge était allé ouvrir la porte du sous-marin.

— C'est justement ce qui est drôle, dit Bobby furieux. C'est de l'humour absurde.

De l'humour absurde, ben voyons… Vraiment, la condescendance de Bobby à mon égard est insupportable.

⁂

Vers le début d'après-midi, nous observâmes une halte sur la berge. Il y avait là des saules têtards. Les saules têtards étaient partout dans les campagnes humides autrefois. Ils bordaient les talus pleins d'eau et les prairies marécageuses. Leur forme trapue et très originale, créée par l'homme de toutes pièces, ne tient qu'à la coupe annuelle qui permet une récolte facile de bois « à hauteur d'homme ». Waquet, donc, alla satisfaire un besoin naturel derrière l'un d'eux. Resté à bord, je m'aperçus qu'il avait laissé à sa place son carnet moleskine. Depuis Paris, le major conservait ce petit carnet dans sa poche de vareuse. Plusieurs fois, je l'avais vu y coller ses pattes de mouche. Quand nous nous approchions, Bobby ou moi, pour lire par-dessus son épaule, il refermait le carnet aussi sec. Ça ne vous regarde pas, disait-il. En un sens, c'est vrai, cela ne nous regardait pas. Mais dans un autre sens, on pouvait supposer que ce carnet fût son journal intime. Peut-être Waquet consignait-il ses joies, ses peurs, ses désirs inavoués, ses rêves. Comment les exaucer quand nous ne les connaissions pas ? Il me semblait dans l'intérêt du major que je prisse connaissance du contenu de son journal. Du reste, qu'il laissât son carnet sans surveillance ressemblait fort à un acte manqué. J'attendis que l'écopier tournât la tête, saisis prestement le carnet et l'ouvris à la dernière page. Voilà ce que je pus y lire (Waquet écrit comme un cochon) :

« *Face à des sentiers mille fois rebattus, nous n'avons pour horizon que la défaite. Mais dans cette bataille où l'épée est de bois…* »

Voyant Waquet revenir, je refermai le carnet prestement. Il ne s'aperçut de rien. Les heures suivantes, je m'interrogeai : « l'horizon de la défaite »… Que voulait-il dire par là ? Pour les « sentiers mille fois rebattus », j'avais compris :

ils figuraient certainement la Seine. Et les « épées de bois » devaient être nos pagaies. Les pagaies, des épées de bois, c'était rudement bien trouvé. Je fus jaloux pendant une vingtaine de minutes environ. Puis je pensai : si nos pagaies sont des épées, nos coups de pagaies seraient-ils des coups d'épée dans l'eau ? Après quoi je cessai de me torturer l'esprit. Avec Bobby, il y avait assez d'un poète à bord. La poésie est une perte de temps si vous voulez mon avis, un loisir pernicieux qui corrode l'esprit des jeunes gens et leur met de mauvaises idées dans la tête. Je lui préfère de loin l'aventure.

Nous contemplions les berges ombragées du fleuve qui défilaient sous nos yeux. En amont de Gaillon, les flots de la Seine avaient formé de vastes îlots sablonneux ceinturés d'aulnes et de saules, envahis par de hautes herbes ondulant sous la brise. Les occupants des lieux, aigrettes, canards, poules d'eau, s'envolaient à notre approche. Notre croisière prenait enfin les couleurs de l'aventure. Il y a tout à parier qu'un indigène tapi dans les roseaux, en nous voyant passer, aurait dit dans sa langue : « Voilà des aventuriers », ou bien : « Ce sont les explorateurs… » Nous étions dignes des aînés, glorieux descendeurs de rivières au cœur de sauvages continents. En sortie de courbe, le *S.S. Joie-de-Vivre* vint tout gâcher. Le *S.S. Joie-de-Vivre* – c'était le nom curieux de ce bateau – naviguait sous pavillon néerlandais. De type *passenger ship*, le *S.S. Joie-de-Vivre* affichait une longueur de 125 mètres et pouvait accueillir jusqu'à 130 explorateurs à son bord. S'il y avait quatre jours que nous canotions, nous étions à moins d'une heure de Paris via l'autoroute A13. Je me doutais bien que nous n'étions pas les premiers hommes évolués à se rendre aux confins de l'Eure, mais, tout de même, je ressentis un pincement au cœur que j'ai sensible comme vous savez. Plusieurs passagers du *S.S. Joie-de-Vivre* se collèrent aux vitres panoramiques à notre vue. Ils firent coucou. Je défendis à Waquet de répondre car un aventurier un peu digne ne doit pas s'abaisser à rendre un *coucou* chaque fois qu'on lui fait *coucou.*

Bobby souquait sur les avirons. Le soleil déclinait, faisant scintiller les eaux brunâtres qui coulaient paresseusement vers la mer. Il faisait bigrement chaud en ce premier lundi d'août. Waquet, en manches de chemise, suait comme un croissant. Je leur lisais *Les Contes de la bécasse*, sans grande conviction. Lorsque nous eûmes engagé l'embarcation dans un bras étroit, d'un geste de la main je désignai la langue de terre s'étirant sur notre gauche : « Ça, c'est l'île du Roule… Et là l'île Bonnet… Et voici l'île Latour… » En regardant un peu plus loin sur la carte, je lus Muids, Le Mesnil-André et Saint-Pierre-du-Vauvray. Alors il me revint que j'avais dans les parages une tante. Enfant, j'avais passé chez Nicole, dite Ninouche, des étés formidables. Son grand jardin fut le terrain de mes premières aventures. J'y montais aux arbres, j'y poursuivais le chien, j'y terrorisais mes petites cousines dans la cabane à outils, bref je m'amusais beaucoup. Ninouche n'avait pas son pareil pour désennuyer les sales petits Parisiens. Elle déployait pour mon bonheur des trésors d'inventivité. L'été de mes onze ans, à l'occasion d'un atelier pâte à sel organisé par ma tante en son jardin, on s'aperçut que je présentais d'exceptionnelles aptitudes au modelage. Sans me faire mousser, il se pouvait, disait Ninouche, que je fusse le Mozart de la pâte à sel. Oui, oui, le Mozart de la pâte à sel. Fort de ces encouragements, je consacrai l'été suivant à la réalisation d'une jarre en pâte à sel dont les bords décorés, hauts d'un mètre environ, reproduisaient la bataille de Bouvines à la manière d'Horace Vernet. L'ensemble était incrusté de coquillettes crues et le pourtour ornementé de perles fantaisie. « Allons déjeuner demain chez ma tante Nicole, proposai-je à la cantonade. Je vous montrerai ma jarre. Aussi je vous présenterai les filles de ma tante qui sont de ce fait mes cousines. » Cette perspective rehaussa l'enthousiasme de l'équipage et, à l'idée de voir la jarre, Bobby et Waquet me parurent souquer plus ferme.

19

Déjeuner de famille. – La vie à la campagne. – Anecdotes de ma tante. – Opinion tranchée de Baudelaire sur l'artiste Horace Vernet. – La casquette de Bobby accuse environ une demi-heure de retard.

Le lendemain, comme je l'avais informée de notre venue, Louise, l'aînée de mes cousines, vint nous accueillir sous un saule, non loin de l'ancienne gare ferroviaire de Saint-Pierre. Un instant plus tard, nous étions attablés sous la pergola d'un village voisin (dit-on dans ou sous la pergola ? L'Académie ne s'est jamais prononcée). Ma tante qui est incontestablement le plus grand cordon bleu du canton de Louviers avait mis les petits plats dans les grands. « Vraiment ? De Paris ? En canot ? » se rengorgeait-elle pour nous faire plaisir… « Comme vous êtes courageux, comme vous devez être harassés, comme vous avez de grands pieds sales que vous allez me faire le plaisir de rincer dans cette bassine… »

Ninouche eut la bonté d'expédier nos affaires à la machine. Tandis que le tambour battait, on se mit à discuter de choses et d'autres, et notamment de la vie en province. « Il y a sur ce sujet, dit ma tante, un grand malentendu. Les habitants des villes se font des idées. Ils pensent qu'à la campagne chacun s'épaule et se soutient. Ils s'imaginent une vie d'entraide et de solidarités. Je vais vous dire : il y a trente ans que j'habite ici et je ne connais pas mes voisins. » Ninouche avança qu'elle avait à deux reprises organisé une fête du voisinage dans l'intention ferme de *créer du lien.* Ça n'avait pas pris. Les voisins ne s'étaient pas déplacés et ma tante en avait eu pour la semaine à manger des canapés au tarama. « Ici on n'a pas de petits commerces, pas de marché et les gens prennent la voiture pour aller chercher le pain. Quand voulez-vous qu'ils se disent bonjour ? Sur le parking du Leclerc ? » Non, vraiment, la vie au village, ce n'était pas ce qu'on croyait. Pour appuyer son propos, Ninouche conta une autre anecdote : « Un beau jour j'apprends par le postier que la voisine vient d'accoucher. Je me dis : allons lui acheter un cadeau de naissance. Je commande une petite barboteuse et vais la lui porter. » Savez-vous comment ma tante a été reçue ? Le voisin a ouvert sa porte juste assez pour passer le bras, il a récupéré le paquet et a dit par l'entrebâillement : « Merci c'est bien gentil, il faudra qu'on vous montre bébé à l'occasion »... L'occasion, ma tante l'attendait encore. Cette histoire avait au moins vingt ans. À l'heure où nous écrivons ces lignes, Bébé doit être marié.

Comme nous en étions au café, je demandai à ma tante où était la jarre afin de la faire voir à mes amis.

— La jarre ? Quelle jarre ? dit Ninouche.

— Voyons, tantine, la jarre ! Celle que j'ai modelée ici même il y a quinze ans. Elle trônait dans un coin du salon et je ne la vois plus.

— Suis-je bête ! dit ma tante. Où avais-je la tête ? Tu veux parler du vide-poche en pâte à sel ?

— …

— … sur lequel tu avais colorié de tes petites mains d'enfant une bagarre ?

— Une bataille, ma tante… De Bouvines, à la manière d'Horace Vernet. Où est-elle ?

— Eh bien, figure-toi que j'ai dû m'en séparer. Ton oncle n'en voulait plus.

Je savais le mari de Ninouche insensible à la sculpture sur pâte à sel (il préfère le tennis), mais au point de se séparer de la jarre… Ou bien était-ce le parti pris artistique qui avait rebuté mon oncle ? Je dois admettre que la manière d'Horace Vernet a beaucoup vieilli et peut sembler par trop académique et martiale. « Je hais ce militaire qui fait de la peinture », disait de lui Charles Baudelaire, un poète symboliste. Avec le temps, mes influences ont changé et il est probable que, si j'avais aujourd'hui à reproduire la bataille de Bouvines sur les flancs d'une jarre en pâte à sel, je m'inspirerais des travaux d'artistes tels que Georges Mathieu, chef de file de l'abstraction lyrique qui a donné de la bataille de Bouvines une interprétation résolument contemporaine.

Et je proposai à ma tante d'ébaucher cette après-midi même une nouvelle jarre à la façon de Georges Mathieu, plus moderne et de meilleures dimensions. Ma tante dit qu'il s'agissait là d'une excellente idée mais qu'elle n'était pas sûre d'avoir suffisamment de sel et de farine pour la pâte et que de toute façon elle préférait en parler d'abord à mon oncle, lequel ne rentrerait pas du bureau avant ce soir. J'étais disposé à l'attendre mais le major et l'écopier signalèrent qu'il y avait encore un bout de chemin avant la mer et ma tante prit leur parti. « Oui c'est mieux ainsi, allez-y mes enfants, filez ! Et tout à l'heure, en passant, jetez donc un œil au moulin d'Andé qui est de toute beauté. »

Une heure plus tard, sur notre tribord, nous vîmes en effet le moulin d'Andé qui est de toute beauté, empaqueté de lierre, avec sa roue pendante et ses pans de bois. Le moulin d'Andé est sans doute contemporain de Château-Gaillard. Ça ne nous rajeunit pas. En tout cas il existait déjà au début du XVe siècle puisqu'un document de 1419 le mentionne expressément. Une petite île fait face au moulin. C'est sur ce minuscule morceau de terre boisée qu'un acteur dont j'ai oublié le nom tue Jean-Louis Trintignant à la fin d'un film dont le titre me reviendra. François Truffaut a tourné là, lui aussi, une scène des

Quatre cents coups et la bonne moitié de *Jules et Jim*. C'est au moulin d'Andé, enfin, que Maurice Pons vécut sa vie entière et Georges Perec y écrivit *La Disparition*, roman de trois cents pages ne comportant pas une seule fois la lettre « e ». Pour information, il y a environ trente-quatre mille « e » dans ce roman et près de cent cinquante sur cette seule page.

Avant eux le moulin avait appartenu à Louis Renault. Dans les années 1920, en marge de ses activités automobiles, l'industriel s'était constitué ici même un empire agricole de 1 700 hectares. Il avait fait bâtir des fermes à la pointe de la modernité et aussi un château en béton armé. Les maisons des villages alentour lui appartenaient, comme le moulin. Mais le « seigneur d'Herqueville », ainsi les paysans l'avaient-ils surnommé, s'était vu un peu grand. Ses fermes ne furent jamais rentables et seul le succès de la marque automobile avait permis d'entretenir sa chimère. À la fin de la Seconde Guerre mondiale, Louis Renault connut quelques ennuis. On lui reprochait d'avoir fréquenté d'un peu près les Allemands. Pour lui apprendre à se tenir, on le jeta en prison. Il y mourut trois semaines plus tard.

— Que dirais-tu de me remplacer aux avirons, dit Waquet avec son habituel sens de l'à-propos. Tu n'as pas souqué depuis l'avant-veille et j'ai des cloques aux doigts.

Il arrive d'éprouver en certaines circonstances la nostalgie de ce qu'on n'a pas connu.

Certaines personnes nées dans une époque en regrettent une autre. D'autres sont nostalgiques d'un pays qu'elles n'ont pas connu. J'éprouvais pour ma part la nostalgie du moteur auxiliaire que nous n'avions pas acheté à Johnny. Dans le même temps, je pressentais que ce moteur nous aurait attiré d'autres complications d'ordre mécanique. La mécanique n'est pas un passe-temps comme un autre. On ne s'y adonne pas en amateur. Comme la pâte à sel, il faut lui sacrifier toute sa vie. Et, quand on met le doigt dans la mécanique, on a vite fait de le mettre jusqu'à l'épaule. Bientôt rien ne compte plus que la mécanique. Le cercle de vos fréquentations se réduit à quelques initiés. Ensemble vous formez une sorte de confrérie, qui partage la même passion, le même langage, les mêmes outils. Jusque dans la douche ou le lit conjugal vous pensez au moyen d'arranger ce tenace problème de ralenti moteur. Vous négligez vos enfants, vos amis et délaissez votre ménage. Tout ce qui possède moins de onze soupapes n'a plus aucune importance à vos yeux. Vous sentez l'huile Motul et le cambouis sous vos doigts ne part plus. C'est votre femme qui part, avec le voisin, un crétin qui roule en hybride et vote Europe Écologie Les Verts. Voilà à quoi mènent les moteurs auxiliaires. Mieux valait ramer. Je pris la place de Waquet aux avant-postes. Bobby, à la poupe, ne demanda pas à être relevé.

Une anecdote à propos de ce même Bobby. Ça n'a pas grand rapport avec le moment présent mais je n'ai pas trouvé où la caser ailleurs. Bobby, donc, avait vu couler son bob à Mantes. Il l'avait remplacé par une casquette de cycliste. À un été de là, l'écopier s'était en effet trouvé livreur coursier à Paris. Huit semaines durant, il avait sillonné la capitale à vélo pour le compte de la société belge Take it Easy (« Allez-y doucement », en français). Il n'en avait pas tiré de revenu substantiel mais avait conservé par-devers lui cette gapette, semblable à celles que portaient autrefois les coureurs du Tour de France. Les gapettes de cycliste sont reconnaissables par leur petite visière en croissant de lune qui donne automatiquement l'air idiot à qui la porte et n'est pas Eddy Merckx. Bobby ne quittait plus la sienne. J'observai qu'il en orientait la visière suivant la course du soleil : à peine avait-il un rayon dans l'œil, à peine décalait-il la gapette de quelques degrés, et cela toute la sainte journée. De sorte qu'un bon observateur aurait pu déterminer l'heure d'un seul coup d'œil à la casquette de Bobby. Le regardant, je vis qu'il était 15 heures ; 15 h 30 en réalité. Bobby retardait un peu.

FIG. 4. – Le silure (*Silurus glanis*) est un redoutable chasseur doté d'un appétit féroce.

20

Du sel à Poses. – Incertitude fondamentale de toute chose. – Du peuplier sur les chaussures. – Des Tilleuls sous la cravate. – Bertrand. – D'une pêche au gros en intérieur. – Comme une boule de flipper.

Après Port-Pinché, Pampou et Tournedos, vint Poses et son barrage-écluses. Il y avait longtemps que nous attendions Poses. Son barrage marquait une étape importante. Au sens géographique, il constituait l'entrée dans l'estuaire de la Seine, c'est-à-dire la portion du fleuve sous influence de la marée. Après Poses, l'aventure prendrait un autre goût : le goût salé de la mer. Cent soixante kilomètres nous séparaient encore de l'embouchure mais l'eau désormais serait libre. Il n'y aurait plus d'écluse, plus de portage. Nous allions devoir composer avec le flot, l'étale et le jusant. L'onde redevenait sauvage. Les choses sérieuses pouvaient commencer.

À tout hasard je demandai au major si son

dos n'avait pas guéri. Il me confirma que non et nous portâmes avec l'écopier le canot sur une centaine de mètres. Dans mon souvenir, mais je peux me tromper, nous n'observâmes pas le moindre arrêt à la guinguette des écluses qui propose du mardi au vendredi midi un menu à dix euros (hors boissons) et des soirées à thème le week-end. Nous avions mieux à faire. Il était tôt encore et je comptais atteindre Criquebeuf avant la nuit. L'objectif semblait à notre portée : une ou deux heures d'efforts tout au plus. Là-bas nous trouverions de quoi rompre le jeûne. J'avais fait miroiter une auberge, inventé des draps frais. Le moral était fixe. Les conditions de navigation excellentes. L'avenir tout tracé.

Mais l'avenir n'aime pas bien qu'on le trace. Je crois même qu'il a horreur de ça. L'avenir est comme ces gosses mal élevés ou certaines races de chiens qui n'écoutent pas les ordres et n'en font qu'à leur tête. Dites « assis » à un carlin, il prendra un malin plaisir à se dresser sur ses deux pattes et vous tirer la langue idiotement. De même l'avenir ne se laisse pas domestiquer. Il est imprévisible. Comme j'ai coutume de dire : « Rien n'est écrit à l'avance. » Et j'ajoute : « On ne sait pas de quoi demain sera fait. » Je dis aussi : « Seul l'avenir le dira » et beaucoup d'autres choses intéressantes… En voyage en particulier, il faut se garder d'une confiance excessive en l'avenir. On n'est jamais arrivé nulle part avant d'y arriver et le malheur survient toujours d'où on ne l'attend pas. Il survint cette fois par le haut. Le ciel, qui s'était montré clément depuis Paris, s'apprêtait à jouer sa partie. Il y avait comme une lourdeur oppressante dans l'air qui ne présageait rien de bon. Ce furent d'abord de gros nuages blancs bonasses qui tiraient vers le jaune, le gris, l'anthracite et devinrent finalement noirs, méchamment noirs, plus noirs que l'ébène et chargés d'électricité. Tout à coup un éclair déchira le ciel, suivi d'une détonation fracassante. Arrive l'instant où tout cela nous crève sur le citron, non seulement l'orage mais la mousson, le déluge et l'ouragan. Il y avait des semaines qu'il n'était pas tombé une goutte d'eau, le ciel en versa ce jour-là suffisamment pour toute une année. Des seaux, des cordes, des hallebardes, toute la quincaillerie diluvienne… Panique à bord. Nous sommes rejetés sur la rive. Les éclairs déchirent le ciel et le tonnerre couvre nos voix. Nous mettons pied sur la digue. Bobby et Waquet courent mettre nos affaires à l'abri d'un grand chêne. C'est le branle-bas. La foudre frappe de tous côtés. Je reste seul à traîner *Bateau* sur les galets quand soudain j'entends hurler. Je me retourne et vois s'abattre dans ma direction un peuplier de onze mètres environ. Quand je reprends mes esprits, le peuplier est couché de tout son long mais je ne suis pas mort. Soufflé par les rafales, l'arbre est venu s'essuyer la cime sur mes orteils. Par chance, je m'en trouvais à dix mètres cinquante. *Bateau* a disparu sous les branches et je n'ai rien, pas même une griffure. Une nouvelle fois le destin m'a épargné. Le reste de l'équipage accourt effaré. Ils ont tout vu. C'est Bobby, d'ordinaire peu expansif, qui a poussé le hurlement. Il me palpe le bras pour voir si c'est bien vrai que je suis encore là. « Te rends-tu compte ? » bégaye Waquet. Le vent redouble. Non, je ne me rends compte de rien. Aux dimensions de la souche déracinée, à leurs yeux exorbités, je devine que j'ai eu chaud.

Le courage finit où commence la folie. Nous laissons tout en plan, les affaires dans le champ, le canot sur la grève et remontons en courant la grand-rue du village de Poses. Une Fiat Cinquecento, petite citadine d'entrée de gamme, jaillit en sens inverse et manque de nous renverser. Crissement de pneus sur la chaussée détrempée, l'auto se met en travers. En moins de cinq minutes, c'est la deuxième fois que je trompe la mort. Mon heure n'est pas venue. « N'êtes pas dingues ? » hennit le conducteur par sa vitre abaissée. Bobby se précipite à la portière. Je présage qu'il va lui faire une tête. La discussion s'engage. Bobby fait signe de rappliquer : « Montez, il nous dépose. » Où, je n'en ai pas la moindre idée. Bobby non plus du reste. « Je vous emmène aux Tilleuls », dit le conducteur. Quoi que soient les Tilleuls, par ce temps tout vaut mieux que la qualité de piéton. Nous ruisselons à l'arrière de la Fiat. « Au fait moi, c'est Toto », dit le type. Toto est animateur de centre de vacances. Il porte des dreadlocks, comme tous les animateurs de centres de vacances. Et les Tilleuls sont un bar-tabac, mieux que ça : un phare dans la tempête. « Vous verrez, dit Toto, c'est plein de mariniers. Des vrais de vrais. » Quand nous entrons, les bat-la-houle nous dévisagent. Ils sont une brochette de sept ou huit gaillards titrant cent dix kilos chacun. Le genre de types à marcher loin derrière leur nombril. De l'autre côté du comptoir en formica, Gérard, le patron. Nous ne boxons pas dans la même catégorie. Si les esprits devaient s'échauffer, la situation tournerait certainement en notre défaveur. Nous nous montrons courtois. « Tournée générale », annonce Waquet en s'essuyant les pieds. Gérard paraît disposé à nous tolérer. Dans la région, apprendrons-nous, ses colères sont redoutées et il flanque volontiers les gens à la porte. Mais ce soir Gérard est dans un bon jour. Toto nous introduit et Bobby déballe notre histoire : le canoë, la voile, le peuplier… On dégouline, eux se gondolent.

— D'ailleurs l'autre soir, reprend le major avec une imperturbable assurance, on a croisé un type un peu dans votre genre. Johnny, ça vous parle ?

Les mariniers éclatent de rire. Décidément on a bien fait de venir. « Nous, on préfère Sardou », répond Gérard. Il montre un miroir sérigraphié « Michel Sardou éternel ». Ce soir aux Tilleuls, c'est karaoké. Un karaoké un peu particulier puisque seul Gérard est admis à chanter et qu'il interprète exclusivement du Sardou. D'ailleurs on a du pot, ça commence. Le patron branche la sono et se met à bousiner dans le microphone. Il reprend dans l'ordre et sans entracte les vingt-huit titres du concert au Palais des Congrès, en 1987. Ça dure comme ça plusieurs quarts d'heure. On nous rend la tournée, deux fois, trois fois. L'heure tourne, la gapette de Bobby aussi, quand tout à coup je remarque entre les gorilles un petit homme deux fois moins volumineux que les autres.

Bertrand avait le sourcil dru, les cheveux taillés en brosse, de petits yeux noirs étincelants et un crâne à porter le béret Kangol. Lui n'était pas marinier, non. Il exerçait une autre profession, une profession étrange, certainement la plus curieuse dont j'eus jamais à entendre parler. Bertrand était *responsable de la passe à poisson du barrage de Poses*. Son métier consistait à surveiller les grands salmonidés et à reporter leurs allées et venues dans un petit cahier. Toute la nuit, une caméra infrarouge filmait la passe. Au matin, Bertrand visionnait la cassette en accéléré. Quand il apercevait un poisson, il mettait sur pause et faisait une croix dans le cahier. À la fin de la saison, il transmettait le relevé de croix aux autorités compétentes. Bertrand était en quelque sorte le concierge du fleuve.

« Ah ! combien j'ai vu d'anguilles passer et repasser ! Et les saumons qui reviennent : j'en ai déjà compté douze cette année ! » Bertrand voulut que nous arrosions ça. Toujours près de l'eau mais n'en buvant jamais, l'homme avait le cœur sur la main et la main au godet. Il nous confia son petit péché : Bertrand ne se contentait pas de compter les poissons, il en « prélevait » quelquefois. « Mon record, dit Bertrand, c'est une carpe de vingt kilos. Dix-neuf et demi pour être précis. » Quand Bertrand parlait de poissons, il s'animait, se transfigurait, devenait un peu fou. Il avait dans le cœur une grande passion, une passion dévorante, irrésistible : la Seine.

On dit que les prénoms influencent le caractère et la destinée des hommes. Ils conditionnent en quelque sorte. Quand on s'appelle Bertrand on est nécessairement appelé à devenir quelqu'un. Un prénom pareil vous oblige, il faut être à la hauteur. Bertrand c'est tout de même autre chose que Bobby, ça vous ouvre des perspectives, ça en jette et claque dans l'air comme une porte sans groom. À propos de portes sans groom, Gérard nous informa qu'il était 2 heures passées et que le bar fermait. Il se voyait donc au regret de nous foutre à la porte.

Bertrand implora le patron : « Avec ce temps Gérard, tu vas pas les mettre dehors. » « Je vais me gêner », dit l'intéressé, en rangeant la compile Sardou dans sa boîte. Avec une tendresse infinie, Gérard nous reconduisit sur le seuil de l'établissement. Bertrand proposa que nous prolongions la soirée chez lui. Il habitait l'ancienne épicerie Chez Auguste, non loin, sur une île de Seine. Il fallait pour y accéder s'engager sur le barrage et passer une barrière. Une passerelle menait ensuite à son logis. « Ne faites pas attention, dit-il en poussant la porte d'entrée, c'est un peu le foutoir. » Ce n'était pas un peu le foutoir, ça l'était complètement. On aurait dit que le domicile de Bertrand venait d'être cambriolé. Une quantité insoupçonnée de merdier encombrait l'espace. Galipette, la chatte albinos de Bertrand, vint se frotter à nos mollets. Décapsulant une Goudale, Bertrand nous entretint de la qualité d'eau de la Seine. En vingt ans, il avait vu le fleuve changer de couleur et le milieu évoluer. La pollution organique avait considérablement diminué. On dénombrait plus de lamproies et d'aloses, poissons de l'Atlantique Nord. L'ablette et le goujon étaient revenus eux aussi, la brème et la carpe continuaient de pulluler… Il suffisait seulement de ne pas en manger. Officiellement, de Gaillon à l'estuaire, tous les poissons étaient impropres à la consommation. « Surtout les gros, dont la durée de vie est plus longue et qui ont le temps de se contaminer aux PCB. » Bertrand était intarissable. Il parla des silures (*figure 4*), ces abominables poissons-chats qui vous goberaient sans mal un veau de lait. Bertrand les aimait beaucoup. Vers 3 heures du matin, il se mit en tête de nous initier à la pêche au silure. Comme il était un peu tard pour remettre des bottes et que ni Waquet ni Bobby ni moi n'avions très envie d'aller ferrer dans l'instant le silure, Bertrand déclara : « Puisque c'est comme ça, on va pêcher le silure dans mon salon. » D'un geste vigoureux il saisit une canne et me la mit dans les mains. Puis il déroula cinq mètres de gros fil dont il noua solidement l'extrémité à sa ceinture.

Bertrand pesait à vue d'œil quatre-vingts kilos, c'était donc un silure de bonne taille. Comme je moulinais, il commença de se débattre en ondulant. J'avais le poisson bien en main et, pensais-je alors, je ne tarderais pas à emporter la partie. J'allais avoir Bertrand à l'épuisette quand soudain il fit un prodigieux bond en arrière et vint s'écraser sur le canapé où s'assoupissait Galipette. Le moulinet débobina à toute allure. Je réglai la traînée à environ vingt-cinq pour cent du point de bris de la ligne afin de fatiguer l'animal. Le risque est de trop bourrasser le poisson. Mais il ne faut pas non plus lui donner la chance de se reposer pendant le combat. Quand le moulinet fut immobile, je rembobinai de quelques centimètres. Cela eut pour effet de mettre Bertrand hors de lui. Il courait maintenant d'un bout à l'autre de la pièce en beuglant et se roulait par terre : « Tire plus fort mon con ! », « Pompe ! », « Mouline ! », « Déroule du câble ! » Entre deux cascades Bertrand le silure prodiguait des conseils sur sa capture. Waquet vint me prêter main-forte. Il tenait le filet, moi la canne. Ce combat dura un moment. Malgré nos efforts conjugués, la ligne finit par céder et la partie de pêche en intérieur connut son terme. Bertrand, à bout de souffle mais sauf, déclara sans transition : « Vous pouvez pieuter là si ça vous botte. Il y a un clic-clac. » Puis il alla se soulager dehors. Depuis l'enfance, Bertrand urinait dans la Seine. Avec un sentiment d'éternité il disait : « Je suis un affluent à moi tout seul. »

À 4 heures du matin j'allai mourir de fatigue sur le lit pliant. À 6 h 35, Bertrand m'en tira pour me parler d'orchidées singe et d'helléborine à brins rouges. Il n'était plus silure mais anthophile (qui aime les fleurs) : « On a un microclimat sur l'île, tu savais ? » À son haleine de Goudale et de cendrier plein, je su que Bertrand n'avait pas dormi. « Il y a un autre microclimat en aval, sur la rive gauche d'Elbeuf, et un autre dans la vallée de Loison. » Nous jeûnions depuis la veille. Je bâillais de sommeil et de faim. J'aurais mangé une cathédrale. Bertrand s'empressa de cuire des merguez à la poêle pour notre breakfast.

« Nous allons retourner au canot », dis-je. Bertrand approuva en rotant. Son esprit n'était plus très clair ce matin. Il alla se passer de l'eau sur le visage. Sous ses yeux les cernes noirs de sa nuit blanche. Les deux autres s'habillèrent. L'écopier ne fut pas long à mettre ses chaussures car il ne les avait pas retirées. Dix minutes durant, nous remontâmes la départementale tous les quatre, bras dessus bras dessous, comme des amis qui ne vont jamais se quitter. Échoué sur les galets, couvert du peuplier, le canot n'avait pas bougé. « Et les affaires ? » s'inquiéta Bertrand. Dans le champ juste là, répondit Bobby. Le champ juste là se révélait être le green du golf municipal de Poses. Nous allâmes récupérer nos frusques dans le bunker, sous le nez d'un bourgeois indigné.

Jusqu'au dernier instant, celui d'appareiller, Bertrand se conduisit comme s'il devait nous suivre. Il retira ses chaussures, retroussa ses bas de pantalon et déclara que la nuit lui avait porté conseil. Bertrand allait tout plaquer, poser sa démission et s'embarquer avec nous dans l'aventure. Je ne voyais qu'un hic : nous étions déjà trois aventuriers dans un canot prévu pour deux. À mon grand embarras, il n'y avait pas de place à bord de *Bateau* pour Bertrand, fût-il concierge des fleuves, vaillant Dipsode et ami pour la vie. Je me chargeai de l'expliquer à Bertrand qui proposa d'échanger sa place avec l'un d'entre nous. L'idée n'était pas mauvaise mais elle n'était pas franchement bonne non plus. « Alors si je comprends bien vous me laissez là les gars ? » dit-il avec un brisement de vaisselle dans la voix. « C'est que je s'rais bien monté moi… » Je n'aime pas beaucoup les adieux et souvent les écourte. Ceux-là furent particulièrement éprouvants. Il ne faisait aucun doute que nous abandonnions Bertrand. La veille, sans rien attendre, il nous avait tendu la main et, au matin, nous lui retirions la nôtre. Le voyageur solitaire est un diable. Il s'en vient et s'en va. On lui porte assistance, on le renseigne, on le loge, on le requinque, il part tout de même, laissant dans son sillage un sale parfum d'aventure et de promesses en l'air. Sans doute ne reverrions-nous jamais Bertrand. Quand j'y repense aujourd'hui, j'ai un chat dans la gorge pour ne pas dire une boule coincée dans le flipper. Et je parie que les deux autres aussi. Bertrand était resté planté là sur la berge. Il avait ce curieux visage sombre d'enfant adulte à vous briser le cœur, dont parle Hemingway. À mesure que nous ramions, je voyais rapetisser sa silhouette et sentais grandir en moi la honte. « C'est dégueulasse », dis-je. « Dégueulasse, répéta le major. C'est quoi dégueulasse ? » Cinq minutes passèrent avant que Bobby ne réponde : « C'est comme les endives cuites. »

FIG. 5. – Récepteur radio portatif à piles.

21

Infélicité des pigeons d'Albi. – Cruauté des silures. – Déchaînement de violence animale. – Où l'on en vient à se demander si la nature ne serait pas fasciste. – Qui croire ? – Autoroute FM et la modulation de fréquence en hertzien. – Bénéfices de l'expérience. – Description d'un vitrail à l'aveugle. – Intérêt des guides touristiques.

Je repensai au combat perdu contre le silure. Ces bêtes étaient redoutables. L'an passé, avait dit un client des Tilleuls, aux environs de Saint-Dizier (Haute-Marne), un silure avait gobé un poulain. « Vous pouvez vérifier, c'est allé dans les journaux. » « Plaisanterie ! » avait répliqué Bertrand. « D'accord les silures sont agressifs quand ils couvent leurs œufs mais ils ne s'attaquent pas à plus gros. » L'autre insistait. Il disait qu'à Albi, dans le Tarn, les silures avaient décimé la population de pigeons. « De pigeons ? » s'était étonné Bobby. Oui de pigeons. Car pour ce qui les concerne, les pigeons d'Albi vont se désaltérer sur les rives du Tarn, en un endroit où le fond est si faible, voire inexistant, qu'on ne peut d'aucune manière imaginer tapis là des silures. C'est le cas pourtant. Dans vingt centimètres d'eau, parfois moins, les silures attendent leur proie, immobiles. Quand le pigeon s'aventure un peu trop près de la gueule du monstre, soudain le silure jaillit, saisit l'oiseau à l'aile et le coule par le fond dans l'abominable dessein de le dévorer. Une équipe de télévision a capturé cette scène invraisemblable et de courts extraits se trouvent sans mal sur Internet[1]. J'invite le lecteur à les visionner. Pour sa connaissance personnelle et aussi parce que cela renseigne sur la violence systémique du monde animal, en particulier celle que déploient les silures du Tarn à l'encontre des pigeons d'Albi, lesquels au reste n'ont rien fait. J'ai vu récemment les photos d'un groupe de flamants roses sauvages agressés par des chiens. Les pauvres bêtes avaient agonisé des heures durant. Les canidés en chasse avaient été pris d'une folie meurtrière. Une autre fois, un renard a tué vingt-cinq poules à lui seul. On en vient parfois à se demander si la nature ne serait pas fasciste.

Ce n'est pas tout. À Baverans, dans le Doubs, plusieurs attaques de baigneurs par des silures

1. Il suffit pour cela de taper dans un moteur de recherche les mots-clés suivants : « Pigeon », « Albi », « Tarn », « Silure », « Cruauté ».

avaient été signalées aux gendarmes. Qui croire ? Aux Tilleuls nous avions entendu tout et son contraire. Qu'il est impossible de ramer contre le courant, que l'eau est douce jusqu'à Caudebec et monte en rideaux. On nous annonçait aussi pour le lendemain de grands orages. Gérard avait même dit, l'air grave : « Partez pas demain les p'tits gars ou on trouvera votre photo dans *Paris-Normandie* ». À la rubrique des faits divers, insinuait-il. À qui pouvions-nous faire confiance ? C'est l'une des grandes affaires du voyageur. Dans ce pays, tout le monde a un avis sur tout, tranché le plus souvent. Il convient naturellement de s'en méfier et de prendre ces avis avec des pincettes, voire de ne pas les prendre du tout. Selon mon expérience, moins l'opinion de votre interlocuteur est catégorique, plus il faut s'y fier. En d'autres termes, plus il pérore, moins on doit accorder de crédit. Dit autrement, plus on vous exprime de doutes, moins il s'agit de douter… Celui qui vous dira : « je ne sais pas » est à prendre au sérieux. Lui seul admet son ignorance. Cet homme-là, on peut le croire sur paroles.

⁂

À Mantes, nous avions fait l'acquisition d'un petit poste de radio à poignée dont je n'ai pas encore parlé. Cette radio (*figure 5*), de marque américaine et de fabrication chinoise, fonctionnait sur piles et captait la bande FM. Je précise que l'appellation « bande FM », bien que très répandue, est incorrecte d'un point de vue scientifique et en fait un abus de langage, car la radiodiffusion en modulation de fréquence peut être réalisée dans n'importe quelle bande de fréquences. On pourrait correctement parler de la « bande de fréquences allouée aux stations de radio diffusant leurs programmes à destination du public en FM », mais c'est un peu fastidieux dans un contexte usuel. Donc une molette latérale permettait de moduler la fréquence. Mais ce n'est pas tout de moduler, encore faut-il stationner. Je modulais depuis un long moment quand Waquet manifesta des signes d'impatience. « Là, nous y sommes bientôt », dis-je. Toute antenne déployée, je modulais en direction de 107,7 mégahertz, qui se trouve à l'extrémité de la bande. J'y parvins enfin. « Autoroute FM, la radio qui voyage avec vous » furent les premiers mots prononcés par notre poste radio. J'ai toujours aimé la radio en général et j'aime aussi beaucoup l'autoroute. Mais quand ces deux passions se trouvent réunies par le truchement d'Autoroute FM, c'est mieux que tout ce qu'on peut imaginer. J'écoute Autoroute FM depuis l'âge de la puberté. Mes amis et mes voisins le savent, Autoroute FM m'accompagne du soir au matin et du matin au soir. C'est d'ailleurs la mission d'Autoroute FM : accompagner l'auditeur, l'informer et le former par les conseils distillés à l'antenne et la priorité donnée à l'information trafic. J'apprécie le professionnalisme des intervenants et la qualité de leurs flashs infos. Ils sont clairs, concis, vont droit à l'essentiel et ne galvaudent pas l'information trafic en la tournant en dérision. Les quatorze salariés de la station Autoroute FM font honneur à la profession de journaliste. J'écoute chacune de leurs émissions, hormis quand je me trouve moi-même sur l'autoroute car alors il me semble que ça ferait doublon. C'est vrai, quel besoin d'entendre parler d'autoroute quand on s'y trouve soi-même ? Il ne faut pas abuser des bonnes choses. Quand ils sont en mer, les marins ne regardent pas *Thalassa* que je sache, ni les Polynésiens Ushuaïa TV.

Autoroute FM est une radio de services mais aussi une radio d'accompagnement, d'où une programmation musicale variée orientée pop / rock / chanson française, à la manière de RTL2 et MFM. Ce matin du sixième jour, nous eûmes droit successivement à *Besame Mucho* par la regrettée Consuelo Velázquez, aux Gipsy Kings (*Bamboléo*) et à Ravel (*Boléro*). Après quoi nous apprîmes qu'une harde de sangliers, comptant *a minima* deux individus adultes, circulait sur l'A63 dans le sens Bayonne-Bordeaux, secteur Saint-Geours-de-Maremne. Nouvel intermède musical. Il fut question d'une fille qui dansait tous les soirs pour des marins largués qui cherchent la bagarre. Ça bouchonnait dix kilomètres en amont de Saint-Arnoult, comme d'habitude. Chaque année les juilletistes croisent les aoûtiens et ça bouchonne à Saint-Arnoult. C'est une sorte de tradition. J'aime cette permanence des choses et l'immuabilité me rassure. J'étais bien. Les autres aussi. Le poste radio n'avait pas mis longtemps à se faire une place à bord de *Bateau.* On l'écoutait religieusement, personne ne lui coupait la parole, tout le monde voulait l'avoir sur les genoux. Même Waquet s'était rangé à l'opinion que rien n'égale la programmation musicale d'Autoroute FM et il ne fut jamais question de moduler ailleurs sur la bande. Cependant, je m'efforçais de ne pas m'attacher outre mesure au poste radio, de peur d'avoir à m'en détacher en cas de naufrage. On apprend de ses erreurs. C'est l'un des bénéfices de l'expérience, qui vient avec l'âge, en même temps que l'acariâtreté et l'arthrose des genoux.

À Pont-de-l'Arche, où jadis s'élevait une forteresse qui n'empêcha point cependant Rollon le chef viking, de battre l'armée impériale, ni les Anglais d'entrer en cruels vainqueurs, l'an 1418, nous aperçûmes haut dans le ciel les premières mouettes. La petite cité forte de Pont-de-l'Arche avait toujours été considérée comme la « clef de Rouen ». Aussi une solide chaîne de murailles s'était-elle nouée autour de son église. L'un des vitraux, réalisé en 1605 par le peintre Martin Vérel et restauré en 1832, représente le halage d'un bateau. Il fallait en effet autrefois aider les bateaux à franchir le pont qui enjambait l'Eure et la Seine. On distingue nettement sur le vitrail le « maître de pont », à condition de se donner la peine d'aller voir, ce dont nous n'eûmes ni le temps ni l'envie. Est-il au fond nécessaire de s'infliger des visites quand les guides sont si pleins de notices exhaustives ?

FIG. 6. – Un lance-pierre est une arme de trait constituée d'un manche en Y et de bandes élastiques. Le modèle ici présenté est de conception cambodgienne.

22

Ventre mou du récit. – L'auteur compatissant. – Le lecteur prié de compatir aussi. – Pêcheurs d'aujourd'hui. – Remarques intéressantes sur la professionnalisation des loisirs. – Force brute de l'écopier. – Amicale dispute. – Force brute de l'écopier (*bis*). – Invention de céramique. – L'important c'est la santé. – Troubles révélations sur l'enfance du major. – *Lex abrogata.* – Ô bruit doux de la pluie, par terre et sur les toits de Rouen.

Je ramais, ils ramaient, nous ramions, à tour de rôle, à tous les modes et tous les temps. Par suite de quoi nous ramions toujours, après quoi nous ramions encore. On n'était pas bien gais. Il y avait des jours où on avait ri davantage. Je veux observer ici un aparté. J'entends le désarroi du lecteur. Nous atteignons les deux tiers du livre et vous vous ennuyez. J'admets que ce n'est pas le meilleur passage. On vous a habitué à mieux. Alors quoi ? Nous ramions, c'est la vérité.

Le temps s'étirait, on ne pensait qu'à le tuer. Devrais-je prétendre le contraire et faire accroire qu'à bord c'était l'Épiphanie et les feux de la Saint-Jean ? Non, non et non. Il y avait six jours que nous voguions sur un canot plastique dans un fleuve excessivement sale. Les localités se succédaient dont nous ne voyions rien que le nom sur la carte. Quand il nous aurait plu d'y accoster, c'était souvent impossible. Nous étions les oiseaux de passage, condamnés au mouvement. Au fond de nos cœurs impatients nous n'avions qu'une hâte : arriver à la mer et en finir. Cette confession vous surprend. Vous n'en trouverez pas de pareilles sur le marché du roman d'aventures. Les écrivains-voyageurs ont l'habitude d'escamoter l'ennui. Ils n'en parlent pas plus que de leur maman. Moi j'ai pris le parti de tout dire, et notamment qu'on s'emmerdait à mille balles de l'heure. Le meilleur moment dans l'amour, dit Georges Clemenceau, c'est quand on monte l'escalier. De même le meilleur moment dans une descente de Seine, ce n'est pas quand on descend la Seine mais bien plutôt l'instant qui le précède : celui où l'on fait sa valise. Je me demande même si le meilleur moment n'est pas celui qui précède le moment de la valise : quand du voyage on a seulement le vague projet ; à moins qu'il ne s'agisse de cet autre moment qui les précède tous deux, quand on n'a pas encore eu l'idée du projet et qu'on est tranquillement installé chez soi, une pizza au micro-ondes et le DVD de *Brokeback Mountain* dans le lecteur.

Je trouvais le temps long et pourtant pas une plainte, pas un murmure : du cafard, simplement. Ça n'allait pas fort. Bertrand me manquait, ainsi que le réchaud Eva-Sport. Je ne parvenais pas à chasser de mon esprit cet ustensile de camping. Il me semblait que je n'en avais pas assez profité du temps où il était parmi nous. À Paris, je conservais ce réchaud dans le fond d'un placard alors qu'il aurait pu aussi bien prendre place sur la table basse ou le rebord de cheminée. Il se trouve que je n'ai chez moi ni table basse ni cheminée et, par conséquent, impossible d'y poser quoi que ce soit sur le rebord. À présent il était trop tard. Le réchaud avait coulé, je ne le reverrais plus. La vie est ainsi faite. On croit entretenir avec certains objets qui nous entourent des relations débarrassées de tout affect mais par la force des choses on s'attache. Jamais je n'aurais imaginé que la disparition du réchaud Eva-Sport me causerait tant de peine. C'est sans doute difficile à concevoir pour qui n'a pas une seule fois dans sa vie noué de relation sérieuse avec un réchaud, mais je ne parvenais pas à réprimer ma douleur et diminuer mon chagrin, alors même que les attentats du 11 septembre 2001 ne m'avaient pas empêché d'avaler le soir même une généreuse portion de fondue bourguignonne et de reprendre deux fois du dessert. Je suis assez insensible aux grandes douleurs humaines, celles des autres en particulier.

⁂

Sous le viaduc autoroutier de Criquebeuf, un groupe de pêcheurs indigènes taquinait le carnassier d'une manière suffisamment originale pour que je prenne ici le temps de la détailler. Nous crûmes d'abord que les pêcheurs étaient des hommes-troncs car ils ne possédaient pas de jambes. Un examen plus attentif révéla que leurs jambes étaient en réalité immergées jusqu'à la taille. Assis chacun dans leur canot, ils se déplaçaient chaussés de palmes, au plus près de l'eau, sans bruit. Cette technique nouvelle s'appelle m'a-t-on dit la « pêche au flotteur ». Je payerais cher pour les voir remonter hors de l'eau dans cette tenue, ces hommes-bateaux, enfilés dans leur bouée comme dans un tutu. Et je pense ici à cette comptine infantile où un enfant demande à sa maman si les petits bateaux qui vont sur l'eau possèdent des jambes. Mais oui mon gros bêta, répond la mère. S'ils n'en avaient pas, ils ne marcheraient pas.

Sur son flotteur, chacun de ces pêcheurs embarquait plusieurs cannes équipées de détecteurs de touche et un échosondeur permettant de déposer l'appât avec une précision chirurgicale. Ils portaient en outre des vestes de camouflage et des lunettes polarisantes. On aurait dit un commando tchétchène venu conquérir le département de la Seine-Inférieure. Deux Land Rover Defender attendaient sur la rive. Quelle chance avait le poisson contre ce déploiement paramilitaire ? Quand l'eau n'est pas suffisamment claire, certains pêcheurs ont aujourd'hui recours à des drones. Voilà exactement la cause du déclin de notre civilisation : on ne sait plus prendre du bon temps. Les loisirs sont devenus des occupations et les dadas des hobbies. Personne ne pratique plus la pêche comme autrefois mon grand-père : avec une canne en bambou, la radio allumée et le cul sur la glacière. Les divertissements sont désormais appréhendés avec un grand sérieux. Ils répondent à des logiques d'efficacité, de rendement et de productivité. Voilà ce que ces gens privilégient : la productivité. Et les moyens déployés sont considérables. Plus question d'attendre peinardement le gardon en fumant des gitanes. On examine, on sonde, on mesure, on ergonomise. Les pêcheurs ne sont pas les seuls à avoir professionnalisé leur passe-temps. Le moindre cadre dynamique trottinant autour du pâté de maisons le dimanche possède aujourd'hui un cardiofréquencemètre sur son téléphone intelligent, qui lui permet de comparer ses performances en temps réel. De retour chez lui, dans sa maison connectée, il pourra consulter ses courbes d'efforts, et partager en ligne le tracé de ses sorties. L'homme moderne se soigne dans la performance. Rien ne servait de lutter, nous avions déjà perdu. L'apparent amateurisme de notre équipage, avec son rideau de douche et son mâttringle, suscitaient chez ces pêcheurs moins d'envie que de pitié. On nous prenait, je le sentais bien, pour d'aimables couillons.

« N'empêche, dit le major un peu plus tard, le coup des jambes immergées, c'est malin comme trouvaille. » Il est vrai que les jambes ne servent en rien au rameur. Elles ne lui sont d'aucune utilité et l'encombreraient plutôt. Moi qui suis « bien jambé », comme on dit en Allier, j'aurais aimé pouvoir me délivrer de mes membres inférieurs et les ranger dans un bidon le temps que nous ramions. Ou même les laisser à Paris, quoique de temps à autre mes jambes m'auraient manqué, notamment pour botter le cul de Bobby qui allait bientôt rencontrer les limites de ma patience, comme l'épisode suivant le relate.

Nous avions accosté face à l'église d'Orival, sur la rive droite du fleuve, afin de déjeuner de tranches de pain de mie et d'un coulommiers Écoprix. Quand nous eûmes fini de nous régaler, je tirai d'un bidon mon lance-pierre. Un beau lance-pierre en bois d'arbre (*figure 6*) offert l'an passé par ma sœur, retour du Cambodge. Je leur en expliquai le fonctionnement et nous commençâmes à viser chacun notre tour une souche distante de douze mètres environ. Mon premier jet vint mourir juste au pied de la souche. « Tu manques de puissance », dit l'écopier. Je lui répondis que je voulais bien l'y voir. C'était justement son tour de tirer. L'écopier s'empara de l'arme, inclina légèrement la tête, ferma un œil, tendit l'élastique, le tendit encore, le tendit toujours, le tendit si fort que l'élastique céda et lui claqua entre les doigts. Hors d'usage, mon beau lance-pierre était bon à jeter, ce à quoi s'employa l'écopier en l'envoyant par-dessus l'épaule direction les fourrés : « Bof, dit-il, ce machin-là ne vaut pas une thune. »

N'étant plus capitaine et de ce fait dégagé du devoir d'exemplarité, je m'apprêtais à débouloner l'écopier quand le major, qui n'avait pas tiré et s'en trouvait frustré, proposa de me suppléer. Je lui cédai la priorité et Bobby reçut du major un foutu bon coup de poing dans les côtes. Après quoi ce fut au tour de Bobby d'administrer au major une sévère balayette-manchette. Comme Waquet s'étalait de tout son long sur la plage, je vins lui prêter main-forte. Mais Bobby est un enragé et, malgré notre supériorité numérique, nous eûmes les pires peines du monde à ne pas mourir sous ses coups. Quand Bobby se fut lassé de nous rouer, après un moment qui me parut déraisonnablement long, je ramassai mes lunettes et dis qu'il y avait sans doute mieux à faire, vraiment, que de nous disputer toute la sainte journée. Et je proposai que nous redevenions bons et tolérants, comme l'autre jour à Vernon, après le Domino. À l'unanimité il fut décrété un « temps calme » et cette résolution engendra l'harmonie générale. Bobby demanda à Waquet s'il pouvait lui emprunter son livre d'hypnose pendant la pause car il était curieux des centres d'intérêt de Waquet et Waquet répondit qu'il le lui prêtait volontiers, n'ayant pas l'intention de lire pour sa part et préférant mettre le temps calme à profit pour se remboîter l'épaule. Ça faisait plaisir de les voir réconciliés.

J'en étais à chercher le lance-pierre dans les fourrés, quand tout à coup mon œil s'arrêta sur un éclat de céramique qui me semblait au moins d'époque gallo-romaine. Je ramassai l'artefact et courus tout excité le montrer au major qui l'examina longuement, sous tous ses angles, et déclara que l'éclat provenait plus certainement d'un carrelage d'époque Castorama. « Toute fin XXe, début XXIe », estimait le major. Bien sûr je n'en crus rien, j'emmaillotai ma trouvaille dans un mouchoir et la fourrai dans une poche. Nous l'expertiserions au retour. C'était la première fois que je songeais au retour. La première fois, même, que j'imaginais un retour. Il était encore trop tôt pour présager du succès de l'expédition mais il devenait vraisemblable que nous en revinssions vivants.

⁂

Aux environs du hameau de La Roquette, à moins que ce ne fût au Clos-Gosse, je décidai de communiquer à l'équipage mon bulletin de santé. Je ne suis pas spécialement soucieux de ma santé physique et j'entretiens avec mon corps des rapports cordiaux mais distants. Nous avons, mon corps et moi, une sorte d'arrangement tacite : il me laisse tranquille en échange de quoi je ne lui en demande pas trop. En outre, je ne le fais jamais ausculter car il déteste ça. À l'aube de mes trente ans, je n'ai toujours pas de médecin traitant et mes rappels de vaccins ne sont pas à jour. J'ai toujours eu les médicaments en horreur et, à bord de *Bateau*, notre trousse de secours comprenait seulement une boîte de cotons-tiges, deux boules Quies et un coupe-ongle.

Cependant, depuis Mantes-la-Jolie, je notais l'apparition sur mes épaules, mon dos et mes avant-bras de petits boutons rouges urticants. Passé la surprise, j'avais affiché pour ces boutons la plus grande indifférence. Non seulement je m'en fichais, mais j'affectais même à leur endroit une forme de compassion complaisante. Je les gratouillais d'une main leste, négligemment. En secret j'espérais que cette attitude mènerait à la guérison, comme si le peu de considération accordé à ces boutons les découragerait à la longue de persister à me nuire. Ce traitement, original en tous points, n'avait qu'un seul défaut : il faisait empirer mon mal. J'accusai un temps les moustiques malfaisants, présents en nombre sur les berges où nous campions, mais il n'en était rien. Ces piqûres de toute évidence n'étaient pas le fait d'insectes mais le symptôme d'une allergie. Il convenait d'agir car, ai-je coutume de dire : « L'important, c'est la santé. »

— Messieurs, déclaré-je, certains d'entre vous l'ont remarqué, des boutons me sont venus en nombre sur le corps. Il n'y a pas lieu de s'alarmer et je veux être rassurant. Néanmoins…

— … On passera voir un pharmacien à Rouen, m'interrompit Bobby.

— À mon avis ce n'est pas nécessaire, contredit Waquet. Ces genres d'allergies vont et viennent. Dans quelques jours il n'y paraîtra plus rien.

Les compétences du major en matière de médecine moderne avoisinent le zéro pointé mais depuis Méricourt il rendait ses avis d'expert sur chacune de nos affections (ongle cassé, ampoules, etc.), le plus souvent d'ailleurs pour les relativiser. En réalité le major voyait mon allergie d'un mauvais œil. Il craignait que je lui disputasse son statut de malade. D'entre nous il avait été le premier à se décréter souffrant et il entendait conserver cette primauté et les privilèges afférents. Il n'y avait pas à bord, pensait-il, de place pour deux malades. Si je désirais l'être aussi, je n'avais qu'à trouver un autre bateau.

Piqué aux avant-bras et dans ma fierté, j'osai ce que ni l'écopier ni moi ne nous étions permis jusqu'alors : interroger plus avant le major sur ses douleurs dorsales.

— Tu as raison, dis-je en me grattant, ce n'est pas comme ton lumbago. En voilà une maladie sérieuse. Dis-nous, le major, comment cela t'est-il venu. Serait-ce congénital ?

Waquet eut un léger mouvement de recul. Il se méfiait. Ce n'était pas rien ce que je lui demandais là. Très personnel. À la frontière de l'indiscrétion. Après un temps, il exigea qu'on baissât le volume d'Autoroute FM et il entreprit de s'épancher. Ce tour de reins terrible, cette lombalgie odieuse qui le rongeait, Waquet l'avait contracté à l'âge de 9 ans des suites d'un abus de trampoline au Club Mickey de la plage du Men-Du, à Carnac (Morbihan). Ce n'était pas le fait d'une chute en particulier mais bien l'abus de trampoline lui-même. De 9 h 30, heure d'ouverture du club, à 18 heures sa fermeture, tous les jours pendant une semaine, Waquet avait rebondi. On ne se souvenait pas cet été-là l'avoir vu profiter des nombreuses autres activités proposées aux membres du Club Mickey. Il s'était contenté de rebondir, sans interruption, du matin jusqu'au soir. À peine s'il descendait se nourrir. Waquet était comme possédé par le démon du rebond. Après une semaine complète de ce régime, ses parents l'avaient trouvé changé. Outre un sérieux tassement des vertèbres et une usure prématurée du disque intervertébral, le major en avait conçu une aversion maladive pour les trampolines. Quels que fussent la marque ou le modèle, Waquet ne pouvait plus entendre parler d'un trampoline sans se crisper de tout son long et accentuer encore son mal. Il suffisait de prononcer le mot « trampoline » pour le voir frémir et vous adresser un regard piteux, l'air de dire : « Pitié, ne me tourmentez pas je vous prie. »

Du coin de l'œil, je vis Bobby réprimer un fou rire. Ça, je ne l'admets pas. On ne se moque pas des phobies d'autrui, quelles qu'elles soient. Je connais des gens qui ont peur des cygnes, par exemple. On peut en penser ce qu'on veut, oui c'est un peu bizarre, mais ce n'est pas drôle et en tout cas ce n'est certainement pas une raison pour se moquer, encore que les cygnes sont autrement dangereux que les trampolines. À un certain regard qu'il me fit, je sus que le major m'était reconnaissant de cette mise au point et nous n'eûmes plus à revenir sur le sujet. Bobby n'est pas le mauvais bougre mais il se laisse aller parfois à des gamineries. C'est typique chez les individus à haut potentiel contrarié. L'éducation de Bobby reste à parfaire et je ne désespère pas de lui. Il a déjà parcouru tant de chemin. D'ici à quelques années, Bobby devrait être en mesure d'être lâché dans le grand bain. Rien n'est encore décidé. J'aviserai le moment venu.

⁂

Kilomètre 230, notre carte présentait le Port-d'Oissel comme un hameau de sept ou huit feux. La commune de Tourville-la-Rivière dont il dépendait y avait depuis implanté un complexe commercial régional disposant d'un parking d'une capacité de 3 000 places. Ainsi, les 2 500 Tourvillais ne rencontraient jamais de problème de stationnement. Sur leur territoire ils pouvaient s'enorgueillir de la présence d'un McDonald's, d'un Burger King et d'un Kentucky Fried Chicken. Une Foir'Fouille, un dépôt But, un GiFi et un roi Merlin venaient compléter l'offre de services. Il est certain que les Tourvillais ne manquaient de rien. « *Abrogata lege abrogante non reviviscit lex abrogata* », murmura Waquet entre ses dents (« Une loi qui a été abrogée ne renaît pas du seul fait de l'abrogation de la loi abrogative »), et, à part que ça n'avait aucun rapport, c'était assez bien vu je trouve.

À mesure que Rouen approchait, le temps se gâtait. D'après mon expérience, il pleut continuellement à Rouen. L'autre jour encore, un Rouennais humide a tenté de me convaincre du contraire mais les statistiques officielles le détrompent : 805 millimètres de précipitations annuelles à Rouen contre 700 de moyenne pour le reste du territoire. On me dira que le différentiel n'est pas si grand et on aura tort : ces 105 millimètres sont précisément ceux qui font déborder le vase. Aussi, ai-je remarqué, à Rouen les précipitations ne se précipitent pas. Elles prennent leur temps pour vous tomber dans le col en grosses gouttes molles, imbiber votre loden et vous détremper jusqu'aux os. Rien ne sert à Rouen d'attendre sous un abribus *le temps que ça passe*. Ça ne passe pas. L'autobus non plus, d'ailleurs. Je ne m'étendrai pas sur la médiocrité des transports urbains de l'agglomération rouennaise qui ne respectent jamais les horaires affichés sur les panonceaux pourtant prévus à cet effet et se dispensent d'attendre quand ils passent en avance, parce que j'aurais l'air de tirer sur l'ambulance. Ce n'est pas mon intention. Je n'ai rien contre les Rouennais ni contre leur ville que je connais assez mal pour n'y avoir séjourné qu'une seule fois, en famille, à l'occasion du mariage d'un cousin. Il pleuvait, le bus n'est jamais venu et nous avons manqué la noce.

23

Flambement de la mâture. – Acte désespéré du capitaine pour recouvrer son bâchi. – Citation de Napoléon qui n'a pas dit que des âneries. – Souper chez l'oncle et la tante de l'écopier. – Portes ouvertes sur maison close. – Modèle de carte postale à l'usage du lecteur.

Deux kilomètres en amont de Rouen, point kilométrique 237, soudain le vent forcit. J'occupais les avant-postes, à la proue du navire, et ne vis rien venir. Bobby, à l'arrière, avait pris les devants. Le pavillon-chaussette, agité depuis le matin, faseyait hardiment. « Rentrez les avirons ! » hurla Bobby à mon attention. J'eus à peine le temps de m'exécuter. L'écopier saisit les quatre bouts comme il m'avait vu faire à Laroche-Guyon et la voile bomba. Nous prîmes trois nœuds dans la seconde. *Bateau* jaugeait désormais sur un angle de dix degrés. Le vent forcit encore. Je me cramponnai aux plats-bords. Nous n'étions plus canotiers mais chevaliers des flots, gabiers rompus au grand large, dominant la houle et le vent. Je pensai : « Quelle entrée dans Rouen nous allons faire ! » Le vent forcit encore. L'effort exercé sur la voile et le mât redoublait. Le corps jeté en arrière, les dents serrées, l'écopier se cramponnait aux ficelles. Avec le recul, il semble évident qu'il aurait dû lâcher un peu la bride et « donner du mou » comme on dit. Par orgueil, dans le feu de l'action, Bobby ne le fit pas. Yeux exorbités, il tint bon et ce qui devait arriver arriva. La tringle en aluminium plia net à sa base et s'abattit en frôlant d'un demi-centimètre l'ourlet de mon crâne. On dira que j'exagère encore. Je n'exagère pas. La preuve : le mât percuta dans sa chute un bord de mon bâchi et le précipita par-dessus bord. Après s'être assuré que la radio n'avait rien, le major s'enquit de mon état. C'est en me retournant pour le rassurer que j'aperçus, à dix ou douze mètres derrière *Bateau* qui filait sur son erre, le bâchi, mon bâchi, dont seul le pompon surnageait. Pour la deuxième fois depuis Paris, j'ordonnai que nous fissions volte-face. Bobby refusa catégoriquement. Le recouvrement de mon béret disait-il (Bobby s'évertuait à l'appeler un béret) ne représentait selon lui aucun caractère d'urgence. Notre mât venait de rompre, la voile gisait, une péniche pouvait surgir à tout instant, en d'autres termes, concluait Bobby, nous avions d'autres priorités à traiter. Comme je ne disais rien, il crut m'avoir raisonné. En fait, je n'avais d'yeux que pour le pompon qui disparaissait lentement sous la surface. Comme le réchaud Eva-Sport, mon bâchi allait compter parmi les victimes de notre aventure. Écœurant. La bile m'aigrissait la bouche. En moi soufflait le vent de la révolte. Et zut ! il n'en serait rien. J'attrapai brusquement la pagaie et me mis à ramer bâbord comme un forcené, contre le courant, contre Bobby et vers le sauvetage du bâchi. Seul je remontai dix, vingt, trente mètres. Waquet hurlait qu'il était trop tard, que le béret était perdu, que je risquais de nous perdre à notre tour. Je n'écoutai pas. Je n'écoute jamais. Arrivé à l'endroit où le bâchi avait sombré, je l'aperçus entre deux eaux verdâtres, une dizaine de centimètres sous la surface. Un mouvement prompt et habile de la pagaie suffit à le tirer de là et je n'eus qu'à le repêcher à la main. Jamais de ma vie je n'avais déployé tant de force et d'abnégation conjuguées. Bobby me dira bien plus tard que ce jour-là je l'avais impressionné par mon courage et ma ténacité. Ce n'est pas rien d'impressionner Bobby. Il n'est pas homme à se laisser subjuguer pour des nèfles. Inutile de préciser qu'une seconde plus tard mon beau bâchi de la Marine était bon pour les silures. J'aurais continué l'aventure tête nue. Rien que d'y penser, ça me file le bourdon.

Je profite de l'occasion qui m'est donnée pour ventiler encore et détromper une légende à propos des bâchis. La croyance populaire veut que la houppette de bonnet, tel est le nom réglementaire du pompon, aurait initialement eu l'utilité d'amortir les chocs lorsque les marins se cognaient la tête en circulant dans les entreponts de faible hauteur sous barrot. Or, selon les historiens de la Marine, le pompon a fait son apparition vers les années 1840. Dès lors, cette explication ne tient plus. Une fonction protectrice aurait inévitablement trouvé son expression bien avant, aux temps où les baux étaient plus bas encore et les têtes aussi sensibles aux chocs, celles des Bretons y compris. Têtes cependant une dizaine de centimètres moins hautes car n'oublions pas le fait, si nous voulons être rigoureux dans l'appréciation de l'environnement naval, que la taille moyenne de l'homme était moindre de dix centimètres environ au XVIIIe siècle (moyenne 162-163 cm), donc les baux guère plus dangereux. En outre on ne comprendrait pas pourquoi les autres marins, les Anglais en particulier, ces rois du « *convenient* », auraient négligé un aspect aussi utilitaire du vêtement s'il s'était avéré tel. Or au contraire, adoptant au début du XIXe un bonnet-toque dérivé du « *tamo-shanter* » écossais, ils en supprimèrent la petite houppette rouge traditionnelle. Demeure donc la simple fantaisie qui a seule inspiré le marin de l'époque en cette affaire. C'est à mon sens une raison bien noble et suffisante. La fantaisie, c'est l'homme dans son registre irrationnel, et la mode constitue l'extrapolation vestimentaire et sociale de ce sentiment au niveau de la société. Il va sans dire que je ne savais rien de tout cela avant de le lire dans l'*Encyclopédie d'histoire maritime* et de le recopier ici.

***

Malgré le flambement de notre mâture, nous atteignîmes Rouen vers la fin de l'après-midi. Les villes vues de loin et sous un certain angle offrent toujours quelque chose d'émouvant. Ces grandes concentrations de maisons où sont entassées tant d'existences et de monuments célèbres forment des magmas à part. « Paris, Rouen, Le Havre, une seule et même ville dont la Seine est la grande rue », avait dit Bonaparte le 7 novembre 1802. Il avait dit aussi : « L'impossible est le refuge des poltrons. » Ce Napoléon en avait de bonnes. C'est à cela qu'on reconnaît les grands hommes.

Rouen passe pour être la ville aux cent clochers mais depuis *Bateau* Waquet n'en dénombra que huit. On ne peut pas faire confiance aux Rouennais, il n'y a rien à attendre de ces gens-là. Quai du Pré-aux-Loups, nous longcâmes un grand entrepôt sur le flanc duquel était peint le graffiti figuratif d'une vache et d'un tracteur. Waquet demanda à Bobby s'il s'agissait d'un tag pompier. Bobby ne sut répondre. Tandis que nous laissions les cimenteries Point P sur notre droite, Bobby prit la parole. « Capitaine, dit-il, tu n'es pas le seul à posséder une tante. J'en ai une, moi aussi, qui habite Mont-Saint-Aignan. » La tante de l'écopier était flanquée d'un oncle.

Cet oncle était archéologue. « Leur maison est pleine de chats, prévint Bobby. Ils y recueillent les pauvres bêtes laissées-pour-compte. Je te fiche mon billet qu'ils nous offriront l'hospitalité. » Nous convînmes qu'il s'agissait d'une excellente idée.

Restait à trouver où jeter l'ancre. En campagne cette question ne se pose pas : on accoste à peu près partout sans grands risques. On disparaît une heure ou deux, on revient, le bateau est toujours là, qui vous attend dans les roseaux. Mais en milieu urbain, c'est une autre histoire. Dans les grandes villes, dit Rivarol, l'innocence est le dernier repas du vice. À Mantes, Waquet en avait fait les frais. Les villes sont des repaires de voleurs, de satyres et de drogués mal intentionnés. Mieux valait confier *Bateau* à la surveillance d'un tiers. Quai Jacques-Anquetil, nous avisâmes un jeune type qui passait la serpillière sur le pont d'une péniche. « Ohé du bateau, fis-je à son adresse. Pourrions-nous nous amarrer à votre bordage, le temps d'une nuit ? » Le jeune type haussa les épaules l'air de dire : « Si ça vous amuse… » C'était bien aimable de sa part, surtout pour un Rouennais. Pour être honnête, je ne suis pas certain qu'il ait parfaitement saisi le sens de notre requête car il parut surpris que je monte à son bord pour diriger les manœuvres d'accostage. Mais il laissa faire. Je crois que ce Rouennais ne parlait pas français. En voyage, il peut être avantageux de solliciter l'aide des étrangers. Le plus souvent ils ne comprennent rien mais disent oui quand même pour se faire bien voir. La péniche *Odysseus* mouillait face au Club nautique et athlétique de Rouen, à deux pas du centre-ville.

Nous reçûmes l'hospitalité de l'oncle et la tante un peu avant la tombée du jour, ayant gravi le mont Saint-Aignan. La soupe était déjà servie. Yves-Marie, archéologue, nous entretint d'archéologie. « Chasseurs-cueilleurs puis sédentaires, les hommes ont toujours vécu dans les vallées. C'est pourquoi les vallées sont si riches en patrimoine archéologique. Dans le lit de la Seine, qui fut jadis plus étroit ou plus large – le débit de la Seine n'a cessé de varier –, on trouve ici des épées vikings, là des casques gaulois… »

La tante de Bobby ne manifestait pas d'intérêt excessif pour l'exposé de son époux. Forte de trente-cinq années de vie commune, Céline avait déjà dû entendre parler des casques gaulois dans la Seine. Nous l'interrogeâmes sur ses chats. « On en a eu jusqu'à onze en même temps », dit-elle. « On les soigne, on les vaccine, on les castre et on les place ». L'oncle ne tarda pas à reprendre la main :

— Les rapports des archéologues avec les carriers se sont pacifiés. Ils sont de fait nos mécènes. L'archéologie moderne leur doit beaucoup. Ils financent involontairement les fouilles. C'est plus compliqué avec les « lotisseurs », promoteurs de pavillons à bas coût, qui doivent produire vite et sans grande marge. Avec eux, oui, c'est tendu.

— L'hiver dernier, abonda la tante, on en a récupéré un qui s'était fait rouler dessus. Les deux pattes arrière brisées, j'ai pensé qu'il était perdu. Eh bien, on l'a remis sur pied. Aujourd'hui il est dans une famille du côté de Dieppedalle.

— De nos civilisations postmodernes, renchérit l'oncle, que restera-t-il ? Quelques débris de sacs plastiques tout au plus, et les caves des maisons. Nos lotissements ne sont pas faits pour durer. Le pavillon Phénix survit à peine à son propriétaire. Laisserons-nous des « données » dématérialisées comme le prétendent certains ? Rien n'est moins sûr…

— Le plus inquiétant, résuma la tante, c'est de voir comment la population de félins explose. L'impéritie des politiques publiques en la matière est un scandale. Sans nous, les bénévoles, ce serait l'anarchie.

— Les dragages sont monnaie courante. La marne que vous autres appelez la vase est rejetée en haute mer ou directement sur les berges. C'est le cas à Oissel. La végétation repousse dessus comme elle peut…

— Qui n'aime pas les bêtes n'aime pas les hommes…

Sur cette dernière assertion de la tante, nous tombâmes tous les cinq d'accord et de sommeil. Au matin, mon allergie avait disparu. Il avait suffi d'une ellipse. Dans une supérette, derrière le Palais de Justice, nous fîmes l'acquisition de cartes postales, d'une bouteille de vacqueyras, d'un côtes-du-rhône village, d'un blanc de blancs, d'un faugères, d'un pays d'Oc, de maquereaux et d'un filet de pommes. Non loin se trouvait la rue des Cordeliers, détruite après la guerre. Dans cette seule rue, aux derniers feux du XIXe, étaient onze maisons closes.

Filet de provisions au bras, allant clopin-clopant-clopant, ce n'est tout de même pas notre faute si le bar du Globe se trouva pile sur la route du retour. Je proposai d'y relâcher un instant pour amuser le tapis et rédiger nos cartes postales. Nous écrivîmes à Bertrand, à ma tante, à nos mères, à Monsieur Mallard et à mon ami Simon qui est aventurier dans la région de Vannes (Morbihan). Je reproduis *in extenso* le mot envoyé à Simon car je le trouve bien tourné et il pourrait vous servir de modèle. (Attention cependant à changer les noms et les localités en fonction de l'endroit où vous vous trouvez.)

« *Cher Simon, depuis Paris nous avons gagné Rouen et perdu Vernon. Demain nous descendrons de sang-froid la Seine et espérons trouver Honfleur avant la fin de semaine. Sur l'eau on croise tout un tas de types fameux mais des comme toi, pas deux. Franche poignée de main virile. Philibert.* »

Nous prîmes aussi trois allongés. Ça grouillait tout plein rue de la République. Trop de monde, d'étrangers, de touristes et de Rouennais frelatés… La foule ne sied pas à l'aventurier qui lui préfère la quiétude des steppes mongoles un quinze août à l'heure de la sieste.

Rendus devant la péniche *Odysseus*, quelle

surprise nous eûmes de retrouver *Bateau* suspendu dans le vide, un bon mètre au-dessus de l'eau ! Nous n'avions pas tenu compte du reflux en l'amarrant. Les cordages par chance avaient tenu. *Bateau* fut dépendu et remis à flot. Le flot justement courait montant. Nous eûmes besoin d'un quart d'heure pour parcourir cent mètres et encore ce furent cent mètres vers l'amont. Le courant contraire entravait notre progression. Comme l'a dit le major : c'est pratiquement comme si quelqu'un s'amusait à nous tirer en arrière. Un explorateur doit s'enrichir de telles épreuves. Surmonter les obstacles et composer avec les éléments constitue le principe même de l'aventure.

Fig. 7. – La mélancolie de Jean-Pierre Pernaut.

24

La rencontre du vieux campeur. – Suffisance du vendeur. – Le formulaire de décharge de vie. – Temps à jouer à la belote dans l'arrière-salle d'un caboulot. – La mélancolie de Jean-Pierre Pernaut. – Dissolution de nos économies dans le jeu à gratter. – Appareillage au jusant. – Le chant des sirènes.

Pas plus tard que dix jours plus tôt, je me trouvais à l'angle de la rue Saint-Jacques et de la rue Du Sommerard, dans le quartier de la Sorbonne, à Paris. C'est l'adresse du Vieux Campeur. Un petit homme sec et râblé, d'une quarantaine d'années environ, me reçut. J'appris plus tard qu'il n'était pas le vieux campeur lui-même mais l'un de ses employés, ce dont je m'étais douté à cause de son âge.

« On peut vous renseigner ? » demanda le vendeur. Quelles que soient les circonstances, j'ai horreur que les vendeurs me renseignent. D'abord ces gens-là ne vous renseignent pas :

ils incitent à la vente, nuance. Ensuite leurs manières m'exaspèrent. Ce petit air de mépris qu'ils affectent quand vous n'achetez pas le haut de gamme… « C'est vous qui voyez », disent-ils après avoir averti que la paire de chaussures de marche sur laquelle vous lorgnez prend l'eau mais pas les chevilles. Pourquoi, dans ce cas, la proposer à la vente ? Et quand, pour leur être agréable, vous choisissez le modèle le plus cher, cette façon qu'ils ont de vous dire : « De celles-là, il ne va plus m'en rester en 43 », comme si ce matériel leur appartenait en propre. Et quand, les ayant suppliés d'aller vérifier en réserve, ils en remontent dix minutes plus tard la bouche en cœur et la boîte sous le bras, déclarant : « Vous avez de la chance c'est la dernière ! » ils sont en veine que je maîtrise mes nerfs. À croire qu'ils l'ont pondue eux-mêmes leur paire en 43 tant ils sont fiers et se pavanent, alors qu'en réalité ce sont des enfants chinois qui les pondent, et pour un salaire de misère, j'ai vu un reportage là-dessus. Les vendeurs sont des voyous, des margoulins. Je te foutrais tout ça en cabane. Parfaitement, en cabane, pas de pitié.

« Monsieur ? insista l'énergumène, on peut vous aider ? »

« Oui, je cherche des bidons », que je lui fais. « Quel type de bidons ? » qu'il me répond. « Étanches », je lui réplique. « C'est pour un trip en kayak ? » Ça ne le regarde pas. « La Loire ? il demande. Vous descendez la Loire ? » Non monsieur. « La Saône peut-être ? Ou la Marne ? »

Non plus. « … Alors la Seine ? » Et comme cette fois je ne dis rien il ajoute : « Très bien, la Seine ! C'est une bonne idée la Seine. »

Je me demande ce que peut en savoir ce peigne-cul. Là-dessus le campeur entre deux âges m'annonce qu'il a lui-même descendu la Seine en gonflable il y a quatre ou cinq ans, à la rame et sans assistance, de Paris jusqu'à la mer. Je l'examine un moment, l'entraîne à part et lui demande s'il est bien sûr de son fait. Il me répond qu'un peu son neveu, même que ça lui a pris douze jours, que c'était pas de la tarte, et qu'il tient des preuves photographiques à ma disposition, si je veux bien me donner la peine de suivre son compte Instagram.

De cet instant je sus que nous ne serions pas les premiers à descendre la Seine de Paris jusqu'à la mer, à la rame et sans assistance. Au mieux nous serions les deuxièmes. Avant même d'accomplir l'exploit, le campeur encore vert nous coupait l'herbe sous le pied. Honnêtement, ça en fichait un coup. Je résolus de ne rien dire à Waquet ni à l'écopier afin de préserver leur ignorance qui est un bien précieux. Le vendeur essaya en sus de me fourguer toute une gamme d'équipements inutiles : des jerricanes, une VHF, des fusées, un casque, une coque antichoc pour smartphone, des barres vitaminées et, quand il eut compris que je ne serais pas client de sa camelote, il dit :

« Avez-vous au moins pensé à demander aux Voies navigables de France une décharge de vie ? » Je le fis répéter, plus lentement.

« Une décharge de vie, vous devez remplir une décharge de vie. Sans ça, après Rouen, ils ne vous laisseront pas passer. » Puis il ajouta : « C'est vous qui voyez. »

J'ai rempli dans ma vie des quantités de papiers administratifs – à cases, à trous, en ligne et sous enveloppe timbrée – mais jamais aucun document qui déchargeât quiconque de ma vie. J'ignorais même que ce type de formulaires existât. Je me suis renseigné depuis. Un formulaire de décharge de vie est un document signé par deux parties dans lequel la partie A ou « Renonciateur » libère l'autre partie – partie B ou « Renonciataire » – de toute responsabilité quant à l'interruption prématurée de son existence. Simplement dit, B promet à A de ne pas en vouloir à A si B décède. Je me reconnais assez en B. Comme lui, j'ai toujours vécu « à mes risques et périls », selon la formule consacrée. On trouvait autrefois des panneaux « À vos risques et périls » devant les ravins ou au commencement des sentiers dangereux. C'était l'époque où l'on croyait l'homme intelligent et responsable. De nos jours, l'homme est présumé con comme une truffe et procédurier. Non content de prendre des risques il poursuit celui qui l'a laissé les encourir. C'est pourquoi il est spécifié sur les bidons d'eau de Javel, par exemple, de ne pas s'en servir pour étancher la soif. L'eau de Javel ne saurait désaltérer quiconque et surtout pas les enfants ou les femmes enceintes. De même, il est déconseillé d'en avaler le bouchon.

Ainsi le fabricant se prémunit-il de toute action en justice.

Quand donc les gens avaient-ils commencé d'attacher un tel prix à la vie, à la retraite, à la sécurité sociale ? Quand donc étaient-ils devenus gagne-petit ? À quelle époque avaient-ils cessé de prendre des risques et de mettre leur vie en jeu pour un rien ? La roulette russe n'est plus aujourd'hui considérée comme un passe-temps honnête. Les gens sont prêts à tout pour vivre vieux. Si on leur proposait de respirer toute leur vie par un tuba pour gagner quinze jours, ils s'y emploieraient.

Ce genre de discours n'était pas difficile à tenir au croisement de la rue Saint-Jacques et de la rue Du Sommerard, à Paris, mais c'était nettement plus corsé au beau milieu du port fluvial de Rouen. Un proverbe breton décrit ainsi les marins : « Loups à terre, chiens en mer. » Cela se comprend. Les grandes gueules ont la queue basse quand vient le mauvais temps. Entre les grues des porte-conteneurs et les sirènes des chalands, je faisais profil bas. Naturellement je n'avais rien dit aux deux autres pour la décharge de vie. En cas de malheur, et en l'absence de ce document, la Société serait tenue pour responsable alors même que, de toute évidence, seule l'inconséquence de notre jeunesse était à blâmer dans cette affaire. Et à blâmer durement. On n'est selon moi jamais trop sévère avec la jeunesse et son inconséquence. Je le sais maintenant que j'ai pris de l'âge et mûri (voir chapitre suivant). L'inconséquence de la jeunesse est la cause de bien des maux qui accablent notre société et il convient de frapper fort si on veut endiguer le phénomène. Mais de ce temps-là, hélas, je n'avais pas encore de plomb dans la cervelle. Les vieux poumons de Rouen sifflaient comme cent tubards. C'était un temps à jouer à la belote dans l'arrière-salle d'un caboulot.

— Peut-être serait-il plus sage d'attendre un peu, dis-je aux deux gugusses.

Un instant plus tard, nous étions arrimés au comptoir du bar-tabac de l'île Lacroix à la seule fin de compléter nos informations météorologiques. La clientèle dans son ensemble confirma que la marée était montante, corroborant ainsi nos observations sur le terrain. On nous prévint en outre qu'elle finirait par redescendre. À quelle heure ? demanda Bobby. Sur cette question précise, les avis étaient moins unanimes. Un premier client prédit que la dévalaison serait pour midi trente. Un autre, riant au nez du premier, l'annonçait pour 14 heures. C'est plus compliqué que ça, dit un troisième. En tout et pour tout onze citoyens furent consultés. Ce sondage établit avec certitude que la marée descendrait entre le milieu de matinée et la fin d'après-midi. Il n'y avait qu'un moyen de le savoir, trancha la patronne : c'était de s'asseoir là, de prendre une consommation et d'attendre.

Hourrah, cria le major, qui voyait là l'occasion de cohésionner encore un petit coup. Et sans attendre, il s'employa à dilapider nos dernières économies dans le jeu à gratter. Cette activité ne requiert aucun effort et se pratique avec une pièce ou à défaut avec l'ongle du pouce. Plusieurs variantes de ce jeu existent. En l'espèce, Waquet s'adonnait au Morpion. Les règles du Morpion sont si simples qu'un enfant de quatre ans les assimilerait sans peine mais il faut attendre d'être majeur pour obtenir le droit de participer. Règle numéro 1 : si le joueur découvre trois O ou trois X en ligne, en colonne ou en diagonale, il remporte le gain associé. Il n'y a pas de règle numéro 2. En bas des tickets de Morpion, il y a aussi cette case mystérieuse, précédée de la mention : « Nul si découvert. » On est très tenté de la gratter elle aussi mais il ne faut pas. Je n'ai jamais trop su pourquoi. J'y vois comme un mantra. Nul si découvert, autrement dit : sachons garder le voile et en toutes choses préserver la part de mystère…

À 13 heures précises, Jean-Pierre Pernaut apparut dans l'écran de télévision du bar-tabac de l'île Lacroix. Je lui trouvai l'air triste. Au vrai, Jean-Pierre Pernaut a toujours eu l'air triste. Il a dans le fond de ses yeux comme une insondable mélancolie. J'appelle cela : la mélancolie de Jean-Pierre Pernaut (*figure* 7). Remarquez, ce jour-là, il n'y avait pas de quoi se taper le train par terre. Outre notre situation de réfugiés climatiques, le département de l'Ardèche était en proie à de terribles crues.

Donc Jean-Pierre Pernaut décide d'ouvrir

son journal sur les crues en Ardèche et prend attache avec un confrère dépêché sur place. Le confrère annonce à Pernaut que *les dégâts matériels sont considérables* et *les secours toujours sur le qui-vive.* Pernaut paraît accablé. C'est son talon d'Achille à Jean-Pierre : l'empathie. Pour se refaire la cerise il lance vite un sujet sur le parc acrobranche de Saint-Alban-de-Montbel, en Savoie, « qui ravit petits et grands en offrant le plein de sensations au grand air dans un cadre idyllique face au lac d'Aiguebelette ». Les images sont magnifiques, ça va déjà beaucoup mieux pour Pernault. Avec 250 personnes par jour, le parc affiche complet. « Il n'a pas fait beau au début des vacances, confirme Yannick Porcher, opérateur de parcours. Du coup, les gens se rattrapent et viennent tous en même temps. » Tout est bien qui finit bien. Le gros chagrin des Ardéchois est oublié. « Qu'on nous apporte trois Pactole et un Bingo », s'enthousiasme Waquet. Notre dernier billet de cinq y passe. L'un des Pactole double la mise. Dix euros. Waquet les rejoue aussitôt, les perd, et je songe que notre projet d'aller à la mer à la rame prend une tournure inattendue. Il est quasi certain que nous filons un mauvais coton.

Bobby est de mon avis. Il déclare : « Du Morpion à la bière en passant par les clopes et ton Pernaut, cette société est une vaste entreprise pour désennuyer l'homme, c'est-à-dire le divertir, c'est-à-dire en détourner l'attention. » D'abord ce n'est pas *mon* Pernaut mais celui de tous les Français. D'autre part il me semble que Bobby se radicalise dans ses propos.

À 14 h 10, nous en sommes toujours là, au bar-tabac de l'île Lacroix. L'aventure est drôlement emmanchée. Il me faut réagir. Je demande à changer de chaîne. NT1 diffuse *L'Enfant du secret*, téléfilm d'après-midi, épouvantablement doublé. C'est dommage car l'intrigue n'est pas inintéressante. Je sors prendre l'air. À 14 h 35, constatant que la mer ne monte plus, je suppose qu'elle descendra bientôt. C'est l'étale. Nous appareillons aussitôt et quittons l'île Lacroix – la dernière que nous devions rencontrer. La patronne du bar-tabac nous rattrape et nous offre un livret intitulé : *Horaires des marées de Seine*. « Vous trouverez là-dedans les réponses à vos questions », dit-elle, maternelle. Il me semble que nous sommes à Rouen depuis un siècle. Nous saluons la cathédrale emmitouflée dans les échafaudages. La Seine est devenue commerciale. Le paysage de ses quais, l'ampleur de ses docks créent une atmosphère de roman d'anticipation. Rive gauche, nous admirons un bâtiment dont l'écopier juge l'architecture originale pour ne pas dire atroce. Question de point de vue, dirait Pascal. Sans doute l'architecte était-il très amoureux et avait-il mieux à faire. Nous passons sous le pont Gustave-Flaubert dont le tablier s'élève à l'Armada pour laisser passer les trois-mâts. Il ne se donne pas cette peine car nous avons perdu le nôtre.

Ainsi nous ramions depuis une dizaine de

minutes quand une sirène se fit entendre. Dans son best-seller, Homère évoque les sirènes. Il recommande de s'en prémunir en se retranchant dans la cale ou en se crevant les tympans. Cette sirène-là émanait d'une vedette de la brigade fluviale. Elle ne mit pas longtemps à nous rejoindre. Nous apprendrions plus tard que le pilote de l'automoteur-pousseur *Le Credo*, nous voyant bateler parmi des céréaliers de trente mille tonnes, avait jugé chrétien d'alerter la capitainerie. Nous voilà donc en état d'arrestation, faits comme des rats pour avoir contrevenu au règlement particulier de police pour la circulation et le stationnement dans les eaux du Grand Port maritime de Rouen. Nul n'est censé ignorer ce règlement, et surtout pas l'article 5, alinéa 1, qui régit les bâtiments autopropulsés, à l'aviron ou à voile, d'une longueur inférieure à 20 mètres. C'en était fini de notre aventure. Nous fûmes sommés par les agents de l'ordre de monter à leur bord. Leurs questions se révélèrent de la plus grande banalité : « Qui êtes-vous ? », « D'où venez-vous ? », « Où allez-vous ? », etc. Manifestement les policiers ne percevaient pas la portée philosophique de notre aventure.

Leur vedette nous mena à la capitainerie où attendait un gradé, averti par radio. L'aventure tournait court. Au cachot les rêveurs ! À l'ombre les audacieux ! L'appareil répressif avait planté ses serres. Pour un peu je me serais rangé aux idées de Bobby, surpris une heure plus tôt en train de graver « Mort aux vaches » à l'opinel, sur la porte des toilettes du bar-tabac de l'île Lacroix. Nous allions écoper encore mais d'une amende cette fois. Amende salée, comme les eaux de cette marée maudite. Nous ne verrions pas l'océan. J'en avais le cœur gros. Sous la vedette de la brigade fluviale, la Seine coulait, indifférente à notre malheur. Elle irait à la mer, c'était couru. La Seine se moquait des sirènes et des forces de l'ordre. Elle n'obtempérait pas, jamais. Je la fixais, abattu. Par un matin de douceur grise, le fleuve charriait nos rêves déchus.

L'interrogatoire eut lieu sur le débarcadère. Nous gisions, mous comme des chiffes. « Qui est le chef ? » questionna l'officier de rive en me fixant de ses petits yeux en rétrécissement d'urètre. Je fis un pas et dis : « Il n'y a pas de chef parmi nous, monsieur. Nous sommes tous trois sur un pied d'égalité. Cependant, jusqu'à l'après-midi d'avant-hier, c'est moi qui commandais. »

Le représentant de l'ordre me fixa, sévère. Il pouvait avoir 50 ans et ne s'en priva pas.

— Êtes vous équipés de brassières ?

— Que voulez-vous dire ?

— Avez-vous des gilets de sauvetage ?

— Oui monsieur. Un gilet par membre d'équipage.

— Des lampes torches ?

— Évidemment.

— Un téléphone, un canif, une carte ?

— Nous avons tout ça. Et aussi beaucoup d'autres choses.

— Comment s'appelle votre bateau ?

— *Bateau,* dis-je.

— Oui, comment s'appelle-t-il ?

— *Bateau.* Notre bateau s'appelle *Bateau.*

Les sourcils de l'officier trahirent son désarroi. Comme il s'apprêtait à reporter cette information dans son carnet, je pris l'initiative de le lui épeler :

— « B » comme Bertrand, dis-je. « A » comme Abdel, « T » comme Trompe, « E » comme Eustache, « A » comme Abdel, encore lui, et « U » comme…

— … Comme Super U ! tonna Waquet.

L'officier semblait hésiter. Il réfléchissait et cela avait l'air de le fatiguer beaucoup. Manifestement, il n'était plus très sûr. Étions-nous à garder à vue ou à relâcher ? Devait-il nous mener chez les fous ? Présentions-nous un danger pour la société ? Quand l'officier eut relevé mon numéro de téléphone et nos identités, il releva la tête et me tint à peu près ce langage :

— Monsieur vous êtes un meneur et vos petits camarades des inconscients. Mais vous m'avez l'air en possession de vos moyens. Je prends la responsabilité de vous faire confiance. C'est pourquoi vous êtes libres de repartir. Je n'ordonne qu'une chose : vous tiendrez informée la capitainerie de votre position grâce au numéro que voici, en partant le matin et en arrivant le soir. Ainsi nous suivrons votre progression et les pilotes des tankers seront avertis par radio que se trouvent sur leur tronçon trois hommes dans un bateau nommé *Bateau*.

Il est possible que j'extrapole un peu le discours de l'officier, mais dans les grandes lignes c'était ça. Une fois encore, cet épisode risque de sembler fort de café au lecteur avachi. Il se dira : on me raconte des blagues, on m'enrhume… C'est mal me connaître. Le goût violent de la vérité constitue le besoin le plus profond de ma nature. Aussi j'affirme sur mon honneur et ma conscience, devant Dieu, les hommes et plus spécifiquement sur la tête de ma mère, que les choses se sont déroulées comme telles. Mon équipage en témoignera si besoin. Il existe en ce monde un policier – a-t-il été depuis mis à pied ? – dont l'appréciation de la loi lui est propre. Cet homme autorise ses compatriotes à risquer leur vie comme ils l'entendent, sans même les contraindre à signer de décharge de vie. Non seulement il les y autorise, mais encore il leur facilite la tâche. Oui cet homme existe et, ce jour-là, nous eûmes la chance de le croiser. Une chance inouïe, de cocu. Ce fessier bordé de nouilles dont parlent les gourmets. Les miracles n'existent que pour les inconscients, dit le proverbe. De tels policiers mériteraient d'être décorés. Ils font l'honneur de leur profession.

Ses deux collègues, ceux qui nous avaient interpellés, étaient sur ce qu'il est convenu d'appeler le cul. Eux-mêmes n'en revenaient pas de ce dénouement. L'officier qui était leur supérieur les pria de nous déposer où ils nous avaient pêchés. « Jamais vu ça, répétaient-ils sur le chemin du retour. Jamais vu ça. »

— Nous non plus, dit le major avec indulgence, nous non plus.

Fig. 8. – Le grinder d'Anthony.

25

Vie sexuelle de l'auteur. – Un mât de beaupré dans la chambre d'Hector Malot. – Rasades sur une berge d'Anneville. – Du grand art de se faire inviter. – Comment rouler un joint de cannabis avec méthode. – Les méfaits de la drogue. – Cent grammes de chouquettes à la boulangerie.

Je reprends ce récit de voyage après sept mois d'interruption. Divers événements m'ont tenu éloigné de l'écriture et notamment celui-ci : j'ai perdu mon pucelage. C'est arrivé un jour d'avril dernier. Elle se faisait appeler Adrienne. Cette relation charnelle et tarifée avec une femme expérimentée m'a ouvert bien des perspectives sur le monde et ce qui m'entoure. J'ai gagné en maturité je crois et n'envisage plus les choses comme avant. Ma voix, ma démarche sont plus assurées. À trente ans je puis dire que je suis un homme. Ceux qui me connaissent s'étonneront de ce déballage – ce n'est pas dans mes habitudes de raconter ma vie – mais il me semble que mon expérience peut profiter au plus grand nombre et, à ce titre, je juge important de témoigner.

De toutes les aventures, l'aventure amoureuse est sans conteste celle qui m'aura le plus dépaysé. On en revient la tête pleine de souvenirs et de résolutions pour l'avenir. Je crois qu'en tant qu'aventure elle reste, jusqu'à nouvel ordre, inégalée et constitue un loisir de premier ordre, surtout pour les gens paresseux. Le corps d'Adrienne m'est apparu particulièrement vallonné avec certaines régions plus accidentées que d'autres, mais toutes présentant un réel attrait. Étais-je le premier à m'aventurer là, rien n'est moins sûr. Un proverbe arabe prétend que l'homme ne laisse pas plus de trace sur la femme que le bateau sur la mer.

Même si on tâtonne un peu au début, j'engage chacun de mes lecteurs en âge légal de pratiquer à tenter l'expérience. On trouve bien des enseignements dans les livres mais rien ne vaut à mon avis l'expérience personnelle. Surtout, et j'en finirai là, l'amour déniaise et vous ouvre des horizons infinis. Beaucoup d'artistes (peintres, chanteurs, poètes) ont traité de ce sujet et s'en sont trouvés inspirés. Même si à mon avis les poètes ont souvent tendance à compliquer, cela a donné de bonnes choses. « Tout ce que l'on apprend dans le regard des femmes, ni le feu ni le fer n'y pourront jamais rien », écrit par exemple Charles Aznavour, et il est vrai que le feu et le fer ne peuvent pas tout, même si, pour fabriquer une épée, c'est encore ce qu'il y a de mieux. Fin de la parenthèse. Je ne m'épancherai pas davantage ou, si je dois le faire, ce sera dans un autre livre à gros tirage. Merci de respecter cela.

⁂

Où en étions-nous ? À Rouen. À La Bouille très exactement. La Bouille est le village natal d'Hector Malot, auteur d'ouvrages puérils à destination de la jeunesse immature. On aperçoit encore sa maison depuis la Seine. Le 20 mai 1830, quelques heures après la naissance d'Hector Malot, un voilier amarré devant la demeure vira brutalement et dangereusement vers celle-ci. Il brisa la vitre de la chambre du nouveau-né avec son mât de beaupré. Lorsque la foule accourut, elle trouva le petit Hector dormant paisiblement comme si de rien n'était. Les biographies des gens fameux sont pleines de ce genre d'anecdotes invraisemblables dont je suis personnellement friand.

Plus loin, après avoir dépassé La Bouille et Sahurs, situé en vis-à-vis, nous trouvâmes sur la rive gauche Caumont, connu autrefois pour ses vastes et utiles carrières de pierre blanche. Nous mesurâmes du regard la forêt de Mauny, passant devant Bardouville et Berville. Dans l'immense détour que la Seine fait ici pour enceindre de sa rive gauche la forêt de Mauny, elle arrose sur la rive opposée Saint-Pierre-de-Manneville, Quevillon et Saint-Martin-de-Boscherville.

Ce n'était plus tout à fait le même fleuve. Nous avions quitté nos péniches, nos mariniers, toute la vie de l'eau telle que nous la connaissions depuis sept jours, au profit d'une onde salée, peuplée de cargos monstrueux avec des superstructures et des trois mille chevaux. *Bateau* se démenait comme un poisson frileux là-dedans. En dedans, devrait-on dire, car la Seine en cet endroit est encaissée. Elle a creusé son lit. Du fond de la tranchée, nous apercevions à peine le museau des vaches en surplomb. Elles ne semblaient pas s'émouvoir à notre vue. Il y a des vaches à bateau comme il y a des vaches à train. Que regardaient les vaches avant l'invention des bateaux et des trains, je l'ignore. Elles devaient rester là les bras ballants et l'esprit vide, repliées sur elles-mêmes, à ruminer de noires pensées. Il ne répugne point à la raison que les vaches des temps anciens s'ennuyaient mais ce ne sont là que des hypothèses. Vers le feu rouge de la Bosse, une vieille épave de bois gisait sur une plage de sable. Au Ronceray, point kilométrique 269, une rangée de peupliers se dressait contre le vent, droits comme des gardes suisses. Sinatra chantait dans le poste radio. Le major, qui possède un joli brin de voix, l'accompagnait en yaourt. C'était un ciel d'après la pluie, bleu pétrole. Nous voguions plein ouest. Bientôt nous touchâmes à Duclair, autrefois siège d'un monastère pillé par les Normands, aujourd'hui gros bourg de quatre mille habitants. Au fronton du relais de poste, les propriétaires avaient fait porter leurs noms respectifs : Henri et Denise. C'était la version améliorée des gravures que pratiquent au tronc des platanes les adolescents acnéiques et transis. C'est aussi à Duclair que se jette dans la Seine l'Austreberthe, après avoir arrosé la riche vallée qui porte son nom.

La Seine avait tant et tant creusé son sillon qu'il fallut gravir un imposant talus pour aborder aux environs d'Anneville-Ambourville. Le soleil rasait les blés. Je pris place sur le remblai, entre mes deux hommes d'équipage. Le soleil disparaissait derrière les falaises. Je m'informai du menu du soir auprès du major. « De la soupe, répondit-il. Plus exactement de la soupe froide. » Fatigué à l'idée d'allumer un feu, Bobby suggéra que nous allions chauffer le potage chez l'habitant. Il y avait, à cinquante mètres à peine, une petite maisonnée dont les fenêtres brillaient à travers la futaie. Nous allâmes tous les trois porter la soupe. Les hôtes de ces lieux, un couple d'une trentaine d'années, lui jardinier, elle maraîchère, s'étonnèrent de nous voir arriver par le jardin. « Aux grandes marées beaucoup de choses nous arrivent par la berge mais des pirates comme vous, c'est moins courant. » Margaux et Anthony recevaient ce soir-là des voisins à dîner. Le plus simplement du monde, ils proposèrent d'ajouter trois couverts. Décidément le peuple de la Seine est hospitalier, pensai-je. Ces gens savent vivre et recevoir. Comme le dit avec justesse Martine dans *Martine prend le train* : « Ah, qu'on aimerait vivre avec les gens de ce pays. »

L'art de se faire inviter fait partie des savoir-faire qu'un voyageur se doit de posséder et qui s'acquièrent seulement avec l'expérience et la pratique. Je fis chercher dans le canot trois de nos meilleures bouteilles, les dernières. Menu du soir : calvados et raclette fumée. Un chien d'une race indéterminée bavait dans sa caisse. Nous causâmes et rîmes jusqu'à une heure avancée. Anthony soutenait que l'insouciance est l'un des ingrédients du bonheur, laquelle insouciance cesse d'être à l'instant même où on prend conscience de celle-ci. Anthony était éloquent mais raisonnait depuis des hauteurs qui me sont inaccessibles. Déjà, comme l'a dit Monselet en deux quatrains immortels :

Les litres avaient mis dans mon regard l'azur,
Qui fait que l'on recherche avec instance un mur.

En fin de repas, une voix, je crois que c'était celle de Margaux, lança l'idée de rouler un joint de cannabis. Il n'est pas simple de rouler un joint de cannabis quand on ignore la manière de procéder, heureusement avec un peu de méthode et d'application on arrive rapidement à des résultats satisfaisants. D'une boîte de confiseries Quality Street posée sur le frigidaire, Anthony tira environ un gramme d'herbe qu'il effrita au moyen d'un grinder (*figure 8*). La quantité de mélange dépend de la taille de la feuille à rouler. Généralement, il suffit d'un demi-gramme pour préparer un joint mais, si vous projetez de fumer avec des camarades, vous aurez probablement besoin d'une quantité plus grande. En Europe, les amateurs de cannabis ajoutent souvent du tabac à leur préparation mais cela est facultatif. Il est primordial de saupoudrer uniformément le produit sur toute la longueur du papier afin d'obtenir une combustion régulière. Anthony se débrouillait comme un chef. Après qu'il eut allumé le joint et nous en eut fait respirer la fumée, je tins quelques propos incohérents, au sujet du réchaud Eva-Sport notamment. Puis, comme je me trouvais vasouillard et pâteux, j'allai écraser dehors sur le trampoline, les yeux ouverts, entouré de cauchemars. Au matin, je trouvai le major recroquevillé dessous le trampoline. Bobby avait dormi dans la caisse du chien, lequel chien couchait avec moi sur le trampoline. Il y eut cette nuit-là plus d'étoiles que je n'en avais jamais vu même si, comme le dit avec raison le major : l'embêtant quand on porte des lunettes, c'est qu'on ne peut pas s'endormir en regardant les étoiles.

Le lendemain, donc, j'émergeai à 6 heures, éveillé par les rayons suprêmes que l'astre lumineux dardait à qui mieux mieux sur les coteaux flambants de l'été coruscant. La veille au soir, dans l'effusion, nous avions promis d'aller chercher les croissants. « C'est bien gentil, avait dit Anthony. Vous verrez, la boulangerie est à côté. » Les provinciaux n'ont pas la même notion de l'*à côté.* S'ils peuvent faire l'aller-retour à pied dans la journée, ils considèrent que c'est à côté. Quand ils vous disent : « C'est à deux pas », comptez au bas mot un quart d'heure, vingt minutes de voiture. La boulangerie d'*à côté* n'était pas loin. Nous marchâmes donc une bonne heure. Le chemin vicinal courait entre les pâturages. Les cloches sonnaient dans le lointain, nous longions un verger peuplé d'oiseaux paisibles dont la douce mélopée était l'expression même de cet équilibre national qui fait que le monde entier nous envie. C'était la France dans toute sa splendeur, une France immuable et gazouillante, la France d'hier et de toujours, une France invincible, la France qu'on voit en arrière-plan des affiches de campagne présidentielle. Nous ne prîmes pas de photo, ne partageâmes aucun contenu ni ne fîmes la moindre *story* susceptible d'être *likée*, commentée puis relayée. Le décor s'y prêtait pourtant. « Être heureux seul n'est pas à la portée de tout le monde, soliloqua Bobby. C'est pourquoi tant de gens exhibent leurs instants de bonheur. Ils ne peuvent jouir que si on les envie. » J'étais d'accord mais, tout de même, j'aurais bien voulu qu'Adrienne vît ça. À la boulangerie nous fîmes l'acquisition de six pains au chocolat, deux brioches et cent grammes de chouquettes. Au retour Margaux et Anthony étaient levés. Ils ne demandèrent pas à nous suivre jusqu'à la mer. Peut-être avaient-ils mieux à faire.

26

Halage à col d'homme. – La rencontre d'un importun. – Plagiat de Jerome K. Jerome sous couvert d'hommage à Jerome K. Jerome. – Jumièges. – Saint Philibert, pieux cénobite et fin abbé. – Perte du major. – Recouvrement du major. – Sieste consécutive.

— Souquez, souquez, matelots !

— Nous souquons, capitaine, mais le jusant est mort et nous n'avançons plus.

Trois kilomètres en aval d'Anneville, déjà *Bateau* refoulait. Il était net que la mer montait. J'avais pourtant consulté le guide des marées, offert par la patronne du bar-tabac de l'île Lacroix. Ce guide prétendait que le flot ne viendrait pas avant une heure et demie. C'était marqué noir sur blanc, là : « 11 août 2018. Flot : 14 h 02. » Or, il était midi et la mer montait, ce qui était passablement déprimant et nous donna l'envie de tout arrêter. Si on ne peut plus faire confiance à un guide des marées, autant rentrer chez soi. Je veux bien que l'aventure se nourrisse d'imprévus mais il y a des limites. Comment le guide des marées, dont on est en droit d'exiger l'exactitude, pouvait se tromper à ce point ? Réduction de personnel je présume. Comme d'habitude les actionnaires avaient probablement resserré les budgets, réduit les équipes, les informations n'étaient plus recoupées et le guide des marées se retrouvait à publier des horaires erronés. Au bout du compte, c'est le marin qu'on mettait en péril, et ça, je ne l'admets pas. J'allais te leur écrire une lettre ouverte. On n'avait pas fini d'en entendre parler.

Nous accostâmes en urgence et, comme j'ébruitais le scandale des faux horaires auprès du pilote du bac d'Yville, celui-ci me fit observer, petit *a*, que notre guide donnait l'horaire de la marée à l'estuaire, encore distant de soixante kilomètres ; et petit *b* que les horaires indiqués se rapportaient conventionnellement à l'heure d'hiver (GMT + 1). Or nous étions sous le régime de l'heure d'été et il convenait d'ajouter soixante minutes aux horaires indiqués. Une note de bas de page rappelait tout cela. Une note de bas de page… Je t'en foutrais des notes de bas de page. Voulez-vous savoir ce que je pense des notes de bas de page ? Du mal. Et même beaucoup de mal. Sincèrement, qui lit les notes de bas de page ? Dans mon entourage, je ne connais que Waquet pour lire les notes de bas de page et je rappelle qu'il est un universitaire. De toute évidence, on voudrait taire à jamais une information capitale et confidentielle, il n'y aurait qu'à l'écrire en note de bas de page dans un quelconque ouvrage. On n'a encore rien trouvé de mieux pour garder un secret. Non je vais vous dire, moi, pourquoi le guide des marées n'indique pas plus gros qu'en note de bas de page une information aussi essentielle. C'est parce que les marins veulent se garder la mer pour eux. Parfaitement. Ces gens-là n'aiment pas les étrangers. Avec un infini mépris, ils nous appellent les « terriens ». Nous n'avons rien à faire « chez eux », pensent-ils. On m'a rapporté l'histoire de ce plaisancier ayant osé dire à un marin que la mer était à tout le monde. « Comme la tienne », s'est-il entendu répondre… Rendez-vous compte : la mère du plaisancier, à tout le monde… Voilà où se situe la hauteur d'âme des marins. On n'ira pas s'étonner, ensuite, que ces gens-là s'expriment dans un jargon volontairement hermétique et cryptent le guide des marées par le biais d'un recours abusif et malhonnête aux notes de bas de page. Ce n'est pas très chrétien mais je leur souhaite de se trouver un jour à attendre le bus à Rouen. Ça leur ferait les pieds. Qu'ils ont marins. Oh, j'en aurais encore à dire sur le compte des marins, mais l'heure est trop grave : la matinée déjà bien entamée, nous avions seulement parcouru trois kilomètres. À ce rythme de sénateurs (hormis Gérard Larcher, les sénateurs vont lentement), nous n'arriverions jamais à la mer.

J'eus l'idée de nous haler. Après tout, les

chemins de halage ne sont pas pour les chiens. Ils sont pour les chevaux et les hommes. Au Mesnil-sous-Jumièges, nous mîmes pied à terre et fixâmes une amarre à la proue, longue d'une douzaine de mètres environ. Il fut décidé que le maître écopier resterait seul à bord afin de prévenir tout échouage tandis que le major et moi-même halerions depuis la rive. Par ce stratagème, nous allions nous affranchir des marées et contrevenir au courant. Ce qui fait l'homme a dit Socrate, c'est sa grande faculté d'adaptation.

J'ai exposé dans les premières pages de ce livre combien il est pénible de ramer. Les portages ne sont pas moins éreintants. En termes de pénibilité, le ramage se rapporte au portage. Mais alors le halage, mes enfants, ah, ah, laissez-moi vous dire, c'est une autre paire de mayonnaises. À la vérité j'aurais préféré qu'on me passât la corde au cou, au lieu de quoi je l'eus à l'épaule. Courbés comme des pauvres hères, réduits à la condition de chevaux percherons, nous nous mîmes en train. Le décollage du bateau est le plus difficile. Il faut donner un grand coup de collier, mais progressif, après quoi la traction doit être régulière sous peine d'avoir à donner un nouveau coup de collier qui vous lacère la clavicule. J'invite le lecteur qui aurait du mal à se représenter la scène à se reporter au tableau d'Ilia Répine intitulé *Les Bateliers de la Volga*. C'est assez fidèle à ce que nous vécûmes ce jour-là, le major et moi. Véritables bêtes de somme, les épaules labourées par l'amarre, nous halions les dents serrées de fatigue, gesticulant sans cesse pour tenter de chasser les mouches nombreuses qui voltigeaient sur le chemin. Abattu, voûté, le haleur personnifie l'oppression. Sa besogne est si écrasante qu'elle annihile par elle-même toute velléité de révolte. Jusqu'au début du siècle dernier, on trouvait des haleurs par dizaines à chaque écluse. Ils travaillaient à la bricole et par tous les temps. On les payait une misère. C'étaient les forçats du canal. À cause des souffrances que l'on sait, Waquet réduisit ses relais mais il tirait tout de même. Nous parcourûmes de cette façon neuf kilomètres.

En route, il arriva une péripétie. Nous touions, du verbe touer (rien à voir avec les touillettes), quand, sorti d'on ne sait où, un citoyen vint se mettre en travers du chemin. Il déclara que nous n'avions pas l'air de savoir que nous étions dans son jardin. Je répondis que mes amis et moi n'avions pas encore examiné la chose d'assez près pour en arriver sur ce point à une conclusion définitive, mais que, s'il nous donnait sa parole d'honneur que nous étions en effet dans son jardin, eh bien, ma foi, nous n'hésiterions pas longtemps à le croire. Il nous en donna l'assurance requise et nous le remerciâmes. Mais comme il ne s'en allait toujours pas, nous lui demandâmes si nous pouvions faire quelque chose encore pour lui. Le major, qui est bonne pâte, lui offrit de croquer dans sa pomme dont il restait l'équivalent d'un quartier. Connaissant le major, on mesure la portée d'un tel geste.

Mais l'homme refusa d'un ton rogue, comme s'il n'y avait rien de plus insultant que de se faire offrir un trognon, et il ajouta que nous ferions mieux de foutre le camp fissa sans quoi il allait devoir appeler les flics et ça allait barder pour nous. Ce personnage ignorait que nous entretenions depuis Rouen les meilleurs rapports avec les forces de l'ordre. En effet nous avions l'aval de la capitainerie en amont. Surtout il semblait méconnaître la loi de ce pays, qui découle du droit coutumier et relève du Code général de la propriété des personnes. Cette loi s'intitule : « La servitude de marchepied ». Je le signale car ce n'est pas tous les jours qu'une loi porte un si joli nom. Or donc, cette loi imposait aux riverains d'un cours d'eau de ne pas mettre d'obstacle au passage le long de ses berges afin d'en laisser l'usage aux pêcheurs. Depuis 2006, un amendement proposé par le député Germinal Peiro (joli nom lui aussi) a étendu ce droit aux piétons, en ce compris les haleurs de canoë démâté. Hélas, des années après sa promulgation, cette loi n'est pas toujours appliquée sur les rives de Seine. D'odieux personnages persistent à barricader l'accès, contrevenant sciemment à cette servitude, qui en plantant des arbres, qui en déroulant du fil de fer barbelé, qui en clouant des écriteaux CHIEN MÉCHANT.

Si on laissait faire ces gens-là, ils clôtureraient complètement la Seine. Je ne suis pas adepte de la violence mais les types de cette espèce, je ne supporte pas. Avec leur sale mentalité ils me dégoûtent. C'est physique. La vue d'un écriteau CHIEN MÉCHANT réveille tous les mauvais instincts de mon être. Je me sens l'envie de les arracher tous et d'en marteler la tête de l'individu qui les a fait poser, jusqu'à ce que mort s'ensuive, après quoi je l'enterrerais et mettrais la pancarte sur la tombe en guise d'épitaphe. Je décidai de confier ces inavouables pensées à Bobby et il me répondit que les siennes étaient pires encore. Il éprouvait non seulement le désir d'assassiner le misérable qui avait fait poser les écriteaux, mais il aimerait, en outre, massacrer sa famille entière avec tous ses amis et connaissances, pendre leur chien par les choses et mettre ensuite le feu à la maison.

Les opinions politiques de Bobby le rendent particulièrement sensible sur ces questions de servitude et de propriété. Comme Proudhon, Bobby n'est pas loin de penser que la propriété c'est le vol. Je trouve que Bobby et Proudhon exagèrent un peu. Il ne faut pas que nos instincts d'équité dégénèrent en pur esprit de vindicte et, en tout état de cause, il n'y a aucune raison de faire du mal au chien.

Menacé par Waquet de s'entendre réciter de mémoire les cent deux articles de loi sur l'eau et les milieux aquatiques (Waquet bluffait, il n'en connaît pas la moitié), le Cerbère eut la présence d'esprit de battre en retraite. À 15 heures, nous atteignions enfin Jumièges et son abbaye. Ce sont là d'après Victor Hugo les plus belles ruines de France.

Il ne sera pas ici question de lui donner tort ou raison, Victor Hugo a l'air de connaître son affaire. Pour ma part je n'ai pas visité toutes les ruines de France et ne me risquerais pas à les comparer. Je peux dire cependant que nulle part ailleurs qu'à Jumièges je n'ai vu de ruines en si bon état de conservation. Les ruines de Jumièges sont parfaitement ravalées, quasi plus neuves que le neuf. Ça fait plaisir à voir. Des gouttières en zinc préviennent le ruissellement de l'eau sur la pierre, la finition est parfaite et le moindre soubassement cureté. En comparaison des ruines de Jumièges, les parties communes de mon immeuble parisien paraissent vieillottes. Madame Gonçalves, la gardienne, ne manque pourtant pas de bonne volonté mais elle rejette la faute sur le syndic qui laisse la peinture s'effriter dans la cage d'escalier. C'est structurel, dit Madame Gonçalves avec son accent de Saint-Maur-des-Fossés. Je ne parle pas de Monsieur Bailly, quatrième gauche, qui laisse traîner des papiers gras devant sa porte. À Jumièges, rien de tout ça. On jurerait que les voûtes sont époussetées matin et soir. Il n'y a pas une herbe folle qui croisse ni un caillou qui traîne. Hugo et toute sa clique de poètes romantiques préféraient les ruines en état avancé de délabrement. Ils les aimaient ruineuses, vétustes, à moitié ensablées et envahies de chiendent. Lamartine, Musset, Nerval et compagnie chérissaient le lierre et les éboulis qu'ils célébraient dans de copieux épanchements versifiés. En un sens je les comprends.

La décrépitude a son charme, elle enrobe de mystère et de poésie. Mais on ne m'empêchera pas de penser que des ruines entretenues, ça fait tout de même plus propre.

Un panneau d'information m'apprit qu'un certain Philibert, « pieux cénobite et fin abbé », avait fondé l'abbaye de Jumièges. J'en conçus une certaine fierté. C'est vrai, les Philibert célèbres ne courent pas les rues de nos jours. On peut penser que ça n'ira pas en s'arrangeant. En France, où ils vivent pour la plupart, l'âge moyen des Philibert est de 69 ans. Ainsi deux Philibert sur trois souffrent de la prostate. Si cette dynamique ne s'inverse pas rapidement, il se pourrait que nous disparaissions de la surface du globe d'ici à trente ou quarante ans, avant même la calotte polaire ou le panda roux. Évidemment, personne n'en parle.

Parmi tous les tombeaux de Jumièges, on en voit un, dans l'église Saint-Pierre, qui a donné beaucoup d'exercice aux historiens et aux archéologues. C'est le tombeau des énervés. Les deux fils aînés de Clovis II, dit la légende, se révoltèrent contre leur père et lui présentèrent la bataille, qu'ils perdirent, bien fait pour eux. Par le conseil de la reine, ils furent « énervés », c'est-à-dire qu'on leur coupa les nerfs des bras et des jarrets, genre de supplice assez commun à cette époque. Ainsi calmés et réduits à l'impossibilité de nuire, les fils du roi furent placés dans une petite barque, sans aviron ni gouvernail, et abandonnés à la miséricorde de Dieu.

La nacelle dériva sur la Seine jusqu'à Jumièges. Les religieux s'empressèrent d'accueillir les deux princes, qui s'instruisirent à la vie monastique, prirent bientôt l'habit et moururent en odeur de sainteté. On s'en doute, cette fable ne tient pas la route au point de vue historique et je ne perdrai pas mon temps à la réfuter. Je me contenterai de vous rappeler que Clovis II, mort à 22 ans, ne pouvait avoir de fils en état de commander des armées.

Ce bref arrêt devant le panneau d'information suffit à nous faire perdre Waquet. « Allons le chercher », suggéra Bobby. Nous partîmes chacun dans une direction et après un quart d'heure de recherche, j'aperçus une pagaie dépasser derrière une colonne du transept. Au bout de cette pagaie, Waquet. « Ah, te voilà, dit-il. Je vous cherchais. Qu'as-tu fait de Bobby ? » Je répondis que nous étions partis le trouver, moi par ici, lui par là. « Allons le chercher », suggéra le major. Et nous nous mîmes en quête de Bobby qui cherchait le major que je croyais perdu et qui en réalité nous cherchait. Comme par enchantement, nous nous retrouvâmes tous les trois sous un châtaignier au pied duquel, pour se remettre de nos émotions, nous pratiquâmes une sieste d'une heure environ.

Au réveil, la mer descendait. Cette fois mes calculs étaient bons. Nous continuâmes notre course folle en passant à gauche devant Heurteauville, dépendance de Jumièges et connue jadis pour ses tourbières, Guerbaville, rattachée à La Mailleraye, fusionnée depuis avec Saint-Nicolas-de-Bliquetuit et devenue dernièrement Arelaune-en-Seine. À droite, Yainville et Le Trait, dont la belle forêt charme la vue. Dans quelques instants nous nous trouverons à la hauteur de Caudebecquet et de Saint-Wandrille, située dans un vallon charmant, à quelques encablures de Caudebec.

27

Caudebec, son bac, son église et son mascaret. – Tragique destinée de Jacqueline Lebreton, petit ange parti trop tôt. – Représailles de l'homme. – Humiliation du mascaret.

Le chapitre qui suit concerne le mascaret. Qui dit grandes marées dit mascaret. On me demande souvent à quoi ressemble le mascaret de la Seine et s'il est bel et bien l'un des plus beaux spectacles de France. On me demande aussi comment je fais pour avoir toujours si bonne mine et quelle marque d'eau de Cologne j'utilise. J'utilise « Cologne indélébile » de Frédéric Malle. Le flacon est coûteux mais en principe il est indélébile, on ne l'achète qu'une fois et dès la troisième année on s'y retrouve sur le plan de l'investissement. En ce qui concerne ma bonne mine je ne m'étendrai pas car ce n'est pas le sujet qui nous occupe aujourd'hui. À propos du mascaret de la Seine en revanche, je peux dire ceci : il a complètement disparu. Mais il n'est pas oublié pour autant. Le mascaret survit dans les mémoires. Il était tellement spectaculaire qu'au moment des grandes marées des trains spéciaux étaient affrétés depuis la gare Saint-Lazare. À Caudebec, où la vague était le plus visible, son souvenir est soigneusement entretenu. Autrefois, quand on faisait la promotion touristique de Caudebec, on évoquait « son bac, son mascaret, son église ». Quatre fois par an, aux marées d'équinoxe de mars et septembre, on l'entendait, de loin, venir de Villequier, à quelques kilomètres en aval. C'était un grondement considérable, une ligne blanche s'apercevait dans le lointain, à la surface des eaux : c'était la « barre ». Elle arrivait, superbe, mugissante, et venait s'éclater sur un mur de la rive droite. Quelques films d'époque documentent le phénomène. La vague était si forte, raconte-t-on, qu'elle débordait les talus, inondait les prairies, brisait les amarres des bateaux. Le bac allait se mettre en travers de la Seine, au milieu du fleuve, quand le mascaret s'annonçait. En effet, la vague venant de l'estuaire courait sur toute la largeur du fleuve mais gagnait en force en léchant les rives. Surtout quand elle rencontrait des obstacles comme le muret du centre-ville de Caudebec qui rétrécissait un peu, à ce niveau, le lit de la Seine, et qui a aujourd'hui disparu. Au XIXe siècle et au début du XXe, cet endroit était un lieu d'attroupement aux dates des marées annoncées dans la presse locale. Le mascaret était une véritable attraction, rassemblant jusqu'à vingt mille personnes, et notamment des Parisiens. Pour les Caudebecquais aussi, c'était jour de fête. On allait voir le mascaret en famille. En s'écrasant sur le mur de la cale aux moules, la vague, parfois noirâtre, pouvait monter jusqu'à cinq mètres de hauteur, voire plus, mouillant les badauds qui s'étaient approchés trop près de la rive. « Un mascaret sans linge à sécher, c'est un mascaret manqué », disait-on à l'époque.

Puisqu'il n'y a que ça qui vous intéresse, venons-y : quelques accidents mortels se sont produits. La dernière victime fut une Havraise, Jacqueline Lebreton, 23 ans, emportée par la vague en février 1961. Elle était venue accompagnée de son jeune mari. Les journaux annonçaient le mascaret pour 11 heures du soir. Gros coefficients. À Caudebec, le couple se mêla aux quelques curieux venus, malgré l'heure tardive, assister au spectacle. Ils s'installèrent à côté de l'escalier de la cale aux moules, à l'endroit précis où la vague devait se briser, et personne ne les mit en garde. Quand la barre survint, à 22 h 59 exactement, les époux Lebreton n'eurent pas le temps de s'éloigner. En une seconde, ils furent pris dans le flot limoneux et renversés. Madame Lebreton, qui s'était abritée sous le manteau de son mari, fut emportée. On ne la revit pas.

Une petite plaque, scellée sur le quai, rappelait l'enlèvement de Jacqueline Lebreton par le mascaret. Il ne s'en était pas tiré comme ça. Moins d'une décennie plus tard, d'importants travaux de dragage avaient réduit le mascaret à une vaguelette. D'ailleurs on ne l'appelait plus mascaret, on disait plus sobrement le « flot ». Certaines années, aux grandes marées, il arrivait que le fleuve se rappelle sa jeunesse, mais le linge n'était plus à sécher. L'homme avait maté le farouche cours d'eau. On avait civilisé la Seine. Les Madame Lebreton ne périraient plus.

« S'inquiéter des marées », disait notre carte de 1947. « Veiller les navires et se conformer strictement aux règles de navigation », disait-elle encore. « En vives-eaux, la navigation pour un petit yacht est délicate. » Étions-nous un petit yacht ? Étaient-ce les vives-eaux ? Quelles étaient les règles de navigation ? Autant de questions qui me taraudaient l'esprit.

Après Caudebec, son église, son bac et son mascaret, la Seine observait un coude entre deux charmants coteaux bien boisés. Il faisait un petit temps gris secoué par le son des cloches. C'était Villequier.

28

En quête d'une expérience de voyage authentique : dormir à la dure. – Les couleurs fluo et le déclin de la civilisation occidentale. – La tente tout confort du père de Bobby. – Le confort relatif de la tente tout confort du père de Bobby. – Du percalotropisme chez les scolopendres. – Brouillard opaque et filandreux sur la Seine. – Fourberie du fleuve en comparaison de la mer loyale. – Vérités historiques.

La mer basse déshabillait les berges hautes. Villcquier semblait avoir ôté ses bas. Il bruinait. Nous nous échouâmes au pied du perré. L'épaisse couche de marne avait la consistance d'une gencive de nonagénaire. On s'enfonça dans cette mélasse jusqu'aux genoux. Le village était désert, et propre, et triste. Pas âme qui vive derrière les façades de ses vieilles maisons groupées en ruelles, nul Toto en Fiat Cinquecento. Villequier semblait en deuil, recueillie. Nous allâmes à la fontaine et de là nous suivîmes un raidillon qui montait à travers la valleuse. Nous avisâmes un sous-bois dense sur un petit promontoire qui surplombait la Seine. De l'avis de Bobby, nous serions protégés de la pluie par le couvert de la forêt. Arrivés sur place et ne nous trouvant aucunement protégés de la pluie par le couvert de la forêt, nous entreprîmes de monter la tente.

En quête d'une expérience de voyage authentique, nous étions heureux d'avance à l'idée de dormir à la dure. Après avoir tâté du hamac et du trampoline, on allait enfin étendre nos membres endoloris sur le sol nu et faire corps avec la terre mère. Beaucoup de gens n'ont pas idée de ce que peut être la liberté de la vie au camp, la solitude qu'elle permet et son caractère merveilleusement sain. Sous la tente, avec rien qu'un bout de tissu pour nous séparer des éléments, nous allions bientôt nous reposer des labeurs du voyage et jouir d'une sérénité apaisante en communion avec Gaïa.

De nos jours on trouve à bon marché des tentes qui offrent le confort d'un bel espace et se montent en quelques secondes. Mais le major et moi jugeons leurs coloris criards. Pour des raisons que j'ignore, neuf tentes sur dix arborent de vilaines teintes fluorescentes qui se fondent mal dans le décor, à moins de camper à Fukushima. Leurs concepteurs doivent juger cela plus « moderne ». En ce qui me concerne, je ne trouve pas cela moderne mais simplement laid. Je date d'ailleurs le déclin de l'Occident à l'essor des couleurs fluo, au début des années 1980.

Par chance, le père de Bobby, qui a fait du camping dans les Trente Glorieuses, s'était proposé de mettre sa tente tout confort vert olive à notre disposition. Ça vous fera moins de frais pour votre aventure, avait-il dit, et c'était sympathique de sa part. Entre nous j'aurais préféré que la tente tout confort du père de Bobby fût taupe ou beige, couleurs que je trouve plus plaisantes à l'œil, mais parfois le pragmatisme et l'utilitaire doivent dépasser la recherche du beau. Il s'agissait d'une tente prévue pour trois personnes. J'ai retrouvé depuis le catalogue Manufrance qui la vendait par correspondance. Il indique bien : « Tente tout confort pour trois personnes, 9 250 francs. » Il annonce aussi une « fermeture rapide », un « tapis de sol caoutchouté cousu aux murs » et une « fenêtre moustiquaire », bien que l'emploi des mots « murs » et « fenêtre » par le catalogue Manufrance me semble un peu exagéré. La tente tout confort est en outre garantie perlante et imperméable, malheureusement cette garantie arrivait à échéance le 1er janvier 1975.

Bobby dénoua la ficelle du sac de toile et vida son contenu sur le sol. Après un rapide inventaire il apparut qu'il manquait l'un des deux piquets en acier, le double toit imperméable et onze des douze sardines. « Ça ne fait rien, dit Bobby : nous remplacerons le piquet par un bout de bois. Dans les forêts ce n'est pas ça qui manque. Quant aux sardines, il suffira que nous plantions nos couverts dans le sol. » Bobby n'évoqua pas l'absence du double toit car le couvert de la forêt nous protégerait. Je m'aperçus que Bobby, malgré ses nombreuses qualités, ne présente aucune aptitude au montage de tente. Au bout d'une heure la tente tout confort fut installée mais elle ne ressemblait à rien de ce qui peut s'apparenter de près ou de loin à une tente. On aurait dit plutôt notre voile au temps où elle était encore un rideau de douche roulé en boule dans le fond du garage des parents de Bobby (pour mémoire, Bobby habite encore chez ses parents bien qu'il ait près de vingt-huit ans aujourd'hui. C'est préoccupant).

Il faisait complètement nuit quand – ayant avalé chacun une boîte de sardines et deux poivrons – nous entrâmes dans la tente. Le taux d'humidité était accablant là-dessous et la promiscuité intolérable. Sincèrement, je ne vois pas où loger trois personnes dans la tente tout confort autrement que chacun leur tour. Il n'y avait aucun risque que nous nous égarions dans un coin car la tente en était dépourvue. Des gouttes de condensation perlaient de la faîtière. Combien j'étais heureux de posséder un matériel de couchage adéquat ! Personnellement, j'utilise un sac Prestige en percale. Toutes les percales ne se valent pas. Celles de la marque Prestige sont de première qualité, c'est marqué sur l'étiquette. Une lacette ajustable permet de resserrer la cagoule du sac à volonté afin grand

1 d'en conserver la chaleur et grand 2 d'éviter l'intrusion d'insectes (en ce qui me concerne je n'ai aucun goût pour l'intrusion d'insectes).

À l'instant de tirer sur la lacette, j'aperçus Bobby s'enfiler dans un pauvre sac à viande en tissu croisé. C'était là sa seule couverture. Alors je me mis en rogne. J'avais pourtant prévenu : les nuits d'été sont fraîches en bord de rivière. Mais comme d'habitude Bobby n'en avait fait qu'à sa tête. « Tu es bon pour une nuit blanche, lui dis-je. Tu ne fermeras pas l'œil et ça te servira de leçon. » Sur quoi Bobby me souhaita une bonne nuit et moins d'une minute après nous l'entendions ronfler sans vergogne. Il n'y a pas de justice ici-bas.

Je ne sais plus qui prétend que peu de lits sont aussi confortables que le tapis d'un sous-bois français à l'été, mais ce je-ne-sais-qui ment aussi fort que le catalogue Manufrance. Le confort du couchage à la dure est inexistant et c'est très certainement pourquoi on appelle terre ferme la terre ferme. Il y a toujours un caillou pour vous fouailler l'omoplate si on n'a pas préalablement gratté le sol. Et même quand on l'a gratté, une racine pousse dans la nuit. Ceci sans parler de la vermine et autres attaques de créatures rampantes. Je veux bien qu'il n'y ait pas beaucoup d'occasions dans la vie d'une scolopendre de goûter au confort de la percale mais ce n'est pas une raison pour se passer le mot. Au milieu de la nuit, il semblait que mon Percale Prestige était devenu le dernier endroit à la mode dans la société des scolopendres. Toute une colonie y prenait du bon temps, et ce malgré la lancette ajustable.

Au matin mon humeur était exécrable. Le ciel bas et lourd pesait comme un couvercle. Ni le baromètre ni la tournure des nuages ne se montraient favorables à notre appareillage. Nous nous enfoncions dans une paresse humide et moite. Vers 7 heures néanmoins, considérant que nous étions suffisamment mouillés pour craindre de l'être plus, nous décidâmes de lever le camp. C'était environ l'heure où blanchit la campagne. Waquet plia notre tente en bouchon et déterra la sardine tandis que je visais la carte. « Tu auras tout le temps de la consulter pendant que nous ramerons », ricana Bobby. Je commençais à en avoir ras le pompon de ses persifleries. « On dit persiflage », fit observer Waquet.

Qu'il semblait loin le temps heureux où nous voguions affranchis du souci des marées, libres de prendre la mer quand il nous plaisait... C'en était fini. Nous n'étions plus marins d'eau douce. Nous avions voulu nous amariner, il s'agissait d'en tirer les conclusions qui s'imposent. Remarquez en passant que je ne tire pas de conséquences. En effet, on peut tirer toutes sortes de choses parmi lesquelles le canard col vert, les marrons du feu, la sonnette d'alarme ou les conclusions qui s'imposent. On peut tirer les rois et le diable par la queue, on peut même tirer à la ligne quand on est écrivain, mais en aucun cas la langue française ne permet que l'on tire des conséquences. C'est une faute si communément commise qu'elle finira par faire loi je le crains. Le trésor de notre langue française se déprécie chaque jour. Ses propres légataires le dévaluent. Donc je tirai les conclusions et, quand j'en eus fini, nous étions à bord de *Bateau*, prêts à partir.

La rivière s'était couverte d'un brouillard blanc très épais qui rampait sur l'eau fort bas, de sorte qu'en me dressant debout dans l'embarcation je ne voyais plus ni le fleuve, ni mes pieds, ni *Bateau*, mais j'apercevais seulement les pointes des roseaux puis, plus loin, la plaine toute pâle du jour qui se levait. J'étais comme enseveli jusqu'à la ceinture. « Rassieds-toi, con de toi, dit le major, qui n'était pourtant pas coutumier de ces bordées d'injures, celles-là mêmes qui investissent de nos jours le champ usuel du langage courant à un point tel qu'il n'est plus une phrase aujourd'hui qui ne débute ou s'achève par une vulgarité. Je m'étais passé la corne de brume autour du cou et, comme je voulus l'essayer, nous découvrîmes qu'il n'en sortait plus le même son. À Saint-Cloud, par temps clair, la corne bramait, mais dans le feu de l'action elle perdait ses moyens et s'enrouait. C'est un travers courant chez les cornes de brume de marque Decathlon.

Le brouillard était opaque et filandreux. Le soleil ne parvenait pas à le percer. On aurait dit qu'il nous collait aux doigts et engluait *Bateau*. Dans une nouvelle de Maupassant il est dit que la mer est certes souvent dure et méchante, « mais au moins elle crie, elle hurle, elle est loyale, la grande mer ; tandis que la rivière est silencieuse et perfide. Elle ne gronde pas, elle coule toujours sans bruit, et ce mouvement éternel de l'eau qui coule est plus effrayant que les hautes vagues de l'océan. » Se méfier de l'eau qui dort.

En cet endroit précis et par un temps semblable, avait péri Léopoldine, fille de Victor Hugo, poète précédemment cité. L'histoire est connue. Le 4 septembre 1843, avec son époux Charles Vacquerie et l'oncle de celui-ci, la jeune fille rentrait de Caudebec sur une petite embarcation lestée. Ils étaient allés rendre visite au notaire. Parvenus à hauteur du lieu-dit du Dos-d'Âne, à une encablure de Villequier, soudain les voiles avaient basculé dans un battement désespéré et l'embarcation s'était retournée. Le naufrage avait laissé derrière lui un blanc troupeau de tranquilles tombes, groupées dans l'ombre du mur ouest de l'église. Sous l'une des stèles de pierre blanche, les corps des deux jeunes époux, inhumés dans le même cercueil. Ainsi continuaient-ils de s'appartenir l'un à l'autre. D'incompétents guides touristiques continuent d'accuser le mascaret. Il aurait été la cause de l'accident. Il n'en est rien. On le sait maintenant, seul un brusque coup de vent avait scellé le destin de Léopoldine. En villégiature avec Juliette Drouet du côté de La Rochelle, Victor Hugo prit connaissance de l'événement cinq jours plus tard, en ouvrant le journal. Profondément meurtri, il en composa d'innombrables quatrains. C'est cela le génie : transmuer la peine en chef-d'œuvre comme d'autres changent le plomb en or et le vent en cryptomonnaie. À la question de savoir quel est le plus grand écrivain français, Gide répondait : « Hugo, hélas. » Et Jules Renard observait dans son *Journal* : « Victor Hugo est si grand qu'on ne s'aperçoit pas qu'il s'appelle ridiculement Victor, comme vous et moi. »

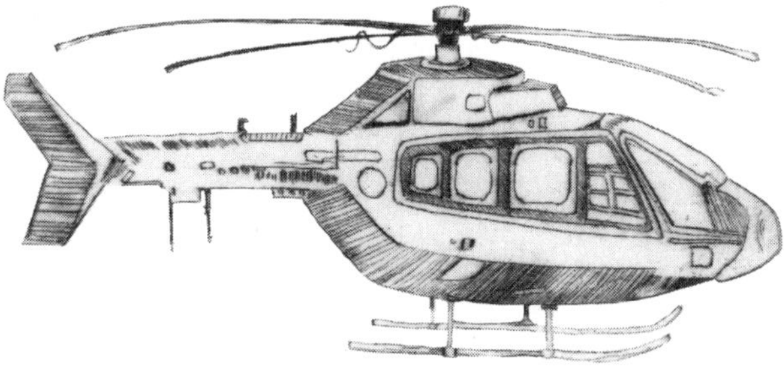

Fig. 9. – *Dragon 76*, l'hélicoptère de la Sécurité civile de Seine-Maritime.

29

Suave mari magno. – Tant vont les cruches à l'eau. – Énième naufrage. – La charge des secours. – Gâchis de fonds publics. – Collision de pétroliers. – Faux bonds et ricochets. – Expérimentation de la relativité du mouvement.

Kilomètre 317, à hauteur du feu fixe de la Vacquerie, l'*African Wind* présenta son étrave. En quittant Villequier ce matin-là, l'officier de rive joint par téléphone avait averti qu'il enverrait du lourd. Une jolie brochette de mastodontes venus donner à la rivière un long baiser salé. L'*African Wind*, donc, le *Lita*, le *Emma*, le *Karenka*, beau bébé de 178 mètres, et le *North Sea Atlantic*, navire de ravitaillement offshore. Nous tenions notre gauche. Le major et l'écopier ramaient vigoureusement, la marée descendante décuplait leurs forces. Elle allait finir. Nous passâmes Vatteville, longue comme un jour sans pain, puis Norville et le bon mouillage de la Courbe. Alors sans coup férir le courant s'inversa. J'espérais que nous atteindrions Vieux-Port avant le flot mais le compte n'y était pas. Il y avait encore trois kilomètres à parcourir. Nous pouvons les faire, dit Bobby. Nous allons les faire, renchérit Waquet. Et les deux rameurs redoublèrent d'efforts tandis que je battais des mains pour donner la cadence.

La Seine a cinq cents mètres de largeur en cet endroit. Nous ne vîmes pas qu'à l'autre bout du fleuve deux cargos se croisaient silencieusement pour ne pas dire sournoisement. Les vagues immenses qui en résultèrent vinrent percuter *Bateau* sur tribord. Nous allâmes au bouillon sans discuter. Ce n'était pas notre première fortune de mer et à la longue nous avions des naufrages une certaine expérience. Dans le calme, chacun prit sa part au sauvetage, moi en tirant notre canot à la berge, Bobby et le major en sauvant le peu qu'il restait de chargement.

Nous avions cabané à l'endroit précis où se dresse le feu fixe des Flaques, kilomètre 322. Ayant étendu nos affaires sur la rive, j'extrais du bidon étanche mon téléphone et préviens la capitainerie que nous venons de cabaner sans aucune perte humaine à déplorer. Puis j'avise le feu fixe. Les feux fixes sont des sortes de phares miniatures. J'ai toujours aimé prendre de la hauteur et me placer en surplomb des choses et des gens. Aussitôt je grimpe à l'échelle et me prépare à griller une pipe bien que fumer tue. Bobby enfile un pantalon sec et Waquet s'en va discrètement exonérer dans les fourrés, car il digère mal les poivrons. Là-haut, accoudé au garde-corps, j'observe les raffineries de Port-Jérôme. En se penchant un peu, on distingue une flèche du pont de Tancarville. Le calme est revenu… quand tout à trac et très soudainement surgit la cavalerie.

Par le milieu du fleuve, sur les étriers de leur moteur hors-bord Yamaha 40 chevaux, c'est la charge, c'est la foudre, c'est l'assaut dans le sang et dans la poudre. Un semi-rigide peuplé de trois sapeurs-pompiers remonte la Seine pleins gaz. Quand ils m'aperçoivent sur le phare, ils décélèrent, s'approchent du rivage et demandent :

— Z'auriez pas vu passer trois hommes dans un canot ? »

— À part nous, personne, répond innocemment Bobby.

Branle-bas de combat, les trois fonctionnaires sautent à l'eau et je descends l'échelle pour les accueillir. De témoins supposés nous devenons victimes présumées. Les pompiers s'étonnent que nous soyons encore en vie et déjà secs. À cet instant je crois entendre les hélices d'un quadrimoteur mais hélas, c'est le rotor de *Dragon 76*, hélicoptère de la Sécurité civile de Seine-Maritime (*figure 9*). *Dragon 76* effectue un survol stationnaire. Il nous éclabousse de ses hélices mais nous ne songeons pas à nous en plaindre car il y a un moment pour tout. Un des pompiers fait signe au pilote d'hélicoptère que la situation est sous contrôle. *Dragon 76* observe encore deux rotations et s'en retourne à l'héliport du Havre. Il s'est écoulé très exactement 24 minutes depuis notre naufrage. Je suis atrocement confus. « Où est le troisième ? » demande le chef des pompiers, impeccablement moulé dans sa combinaison néoprène. « Il ne digère pas les poivrons », répond Bobby. Nous nous excusons beaucoup et les pompiers s'en vont sans rancune. Je songe que je n'aurai jamais assez d'une vie de contribuable pour éponger ce que nous venons de coûter à la société. Leur vedette est déjà loin quand trois autres pompiers, volontaires cette fois, surgissent par la forêt. Tout ce monde a convergé pour venir au secours des naufragés rescapés, par voie d'air, de mer et de terre, mais avec vingt-cinq minutes de retard sur l'horaire effectif de la noyade. J'explique comment, immédiatement après le naufrage, j'ai téléphoné à la capitainerie. Manifestement l'information n'a pas été transmise au radar de Honfleur qui a déclenché les secours. Morts, nous aurions eu l'air moins bête, la noyade aurait en quelque sorte consacré notre aventure. Pour l'éternité nous serions restés des braves et, sur les tombes, les familles auraient fait graver : « Aventuriers péris en mer ou presque. » Au lieu de quoi nous étions sains et saufs et ridicules.

Les trois pompiers volontaires ne paraissaient pas pressés. Ils en profitèrent pour faire un brin de causette et, quand Bobby leur apprit que nous venions de Paris à la rame, ils demandèrent l'autorisation de prendre un selfie. L'un des pompiers, en léger surpoids, se remémorait le naufrage du *Vittoria*, deux kilomètres en aval. Ce devait être en 1986 ou 1987, le pompier s'en souvenait parce qu'il était en CM2. Ça s'était passé vers 10 heures du matin. Un pétrolier japonais, chargé de onze cents tonnes de kérosène, était entré en collision avec le pétrolier grec *Vittoria*. Avarie de barre ou quelque chose comme ça. Le *Vittoria* avait explosé aussi sec. On avait retrouvé des centaines de débris incandescents à la ronde. Bilan : six morts. Ouille, dit Bobby. Fschhh, ajouta Waquet, revenu d'où l'on sait. Les pompiers réalisèrent un second selfie et nous souhaitèrent bonne continuation.

Nous restâmes à attendre le jusant. Depuis la berge, nous faisions des ricochets. Après deux heures, il n'y eut plus une pierre plate dans toute la forêt de Brotonne. Bobby fouilla les affaires et trouva dans une poche mon éclat de céramique antique. Il l'envoya rebondir sur l'eau : « Six, sept, huit, neuf, dix, onze ! Onze ricochets ! » s'enorgueillit-il. Je ne protestai même pas. Waquet parla de Roger Caillois, ce poète des pierres qui se lit avec un Littré tant le vocabulaire est savant. « Si encore il y avait des notes de bas de page », soupira-t-il. Waquet jeta une branche à l'eau en regrettant qu'on n'enseigne plus le lancer de grenade en cours d'éducation physique et sportive. Bobby parla de philosophie. Il affirmait que le voyage est une expérimentation de la relativité du mouvement. Au point de vue de la berge du fleuve nous avancions, au point de vue du courant nous reculions, au point de vue de l'univers nous tournions en rond et selon mon point de vue nous traînassions. On se gargarisait d'avoir vu du pays mais n'étaient-ce pas les paysages en définitive qui avaient défilé devant notre barque immobile ? Les choses vont et viennent, de même que celui qui s'assied toute une vie au bord de la rivière en voit davantage que celui qui la suit. « Si quelqu'un t'a offensé, dit Lao Tseu à ce propos, ne cherche pas à te venger. Assieds-toi au bord de la rivière et bientôt tu verras passer son cadavre. » L'heure tournait, la casquette de Bobby aussi et, à la mi-journée, nous pûmes enfin nous mettre en branle. Nous longeâmes le Val du Penne et ses falaises. Honfleur était à vingt kilomètres à peine. Une formalité. Nous les abattîmes dans l'après-midi.

30

Dernier virage, vérification de la porte opposée et désarmement des toboggans.

Après huit journées heureuses à descendre la Seine, trois hommes arrivaient un soir à la mer. Le temps était gris mais ça n'avait pas beaucoup d'importance. Au feu de Saint-Léonard nous avions entamé l'ultime courbe, abordé le dernier virage et longé les deux mille hectares des raffineries de Port-Jérôme, classées Seveso. « L'homme, vermine de la planète », avait dit l'écopier. « Je ne voudrais pas cabaner dans ces eaux-là », avait ajouté le major.

Nous étions passés sous le pont de Tancarville, son beau tablier rouge et ses piles de béton. Inauguré en juillet 1959, le pont suspendu, long de 608 mètres – une prouesse technologique –, flattait alors l'orgueil d'une France avide de modernité. Par antonomase il avait donné son nom aux étendoirs à linge mal pratiques qui meublent les studettes et font par-delà le monde la renommée de Tancarville.

Douze kilomètres plus loin, nous aperçûmes le pont de Normandie. Il désignait pour nous l'entrée d'un pays soumis à des lois dont nous ne connaissions pas les codes. Je me sentais sans défense à la porte d'un monde surprenant, tiraillé entre le désir puissant d'en finir et l'appréhension de quelques dangers sournois et féroces. La Seine s'élargissait d'orgueil et connaissait son apothéose. Bobby avait le regard embué des marins qui vont passer le cap Horn.

La mer. Quand je la vis, il me sembla que mes poumons s'ouvraient enfin. Ah, de l'air ! Pas n'importe lequel : le grand, le grand air. Un vent frais et humide nous giflait au visage. Si loin que l'on portait son regard on n'apercevait que de l'eau, une eau d'un bleu japonais où le soleil voilé mettait des reflets argentés. La mer était vivante, elle s'agitait, enflait, clapotait, elle ne sommeillait pas comme l'eau du fleuve. À chaque vague, et Dieu sait si elles sont nombreuses en mer, elle blanchissait d'écume notre frêle esquif, ballottait la carène, s'en jouait. *Bateau* était à l'aise en mer comme un poney shetland à l'hippodrome de Vincennes. Dans le ciel tournaient de grands oiseaux blancs. Ils se laissaient porter par le vent, sans remuer leurs ailes larges ouvertes. Ou parfois, ils descendaient au ras de l'eau puis s'y posaient pour danser avec la vague. Nous ressentions les soubresauts, les embruns, les gifles de l'eau contre la proue.

Je ne sais ce que Waquet s'attendait à voir, mais il en eut le souffle coupé. Bobby, lui, avait de la bave aux commissures des lèvres et les pupilles dilatées. « Par pitié l'écopier, suppliai-je les tripes nouées par la peur, reste à portée du rivage ! Si nous chavirons c'est la fin ! » Bobby ne m'entendait pas : il empoignait la rame, attaquait la lame et cinglait plein axe. Bobby était possédé, comme ce jour où nous avions démâté à Rouen. Une fièvre lui battait les tempes, c'était un centaure déferré, un fils du Soleil. Il s'en fallut de peu que nous sancissions, du verbe sancir, qui signifie couler par l'avant. *Bateau* se plantait dans les creux et faisait eau de toutes parts. Le fleuve se confondait avec la mer. Je découvrais le sens du mot « extrême ».

Au passage de la tour radar de Honfleur, un homme agita fiévreusement le bras depuis le parapet. Ce n'était pas une hallucination car nous le vîmes tous les trois. Aujourd'hui encore j'ignore les intentions de l'homme du radar. Peut-être faisait-il ses respects aux trois aventuriers. Plus vraisemblablement il nous priait d'aller nous faire lanlaire.

Puis ce fut l'écluse de Honfleur. Je revois s'ouvrir les portes du sas, couvertes d'algues et de coquillages. Quelques badauds nous montraient du doigt. Nous eûmes à partager l'ascension avec un bateau loué à la demi-journée pour l'occasion d'une noce. Dans l'écluse, cette après-midi-là : une mariée immaculée, un mari en jaquette de location, les enfants d'honneur en cravate élastique et trois hommes dans un canoë. La passerelle commençait à pivoter. J'eus vaguement honte de mettre en branle les installations portuaires pour notre profit. Assis tous trois, nous sentîmes *Bateau* s'élever lentement des humides profondeurs vers une nouvelle altitude, un nouveau monde. Nous aperçûmes le phare de Honfleur puis la cime des arbres et le faîte des maisons. Cela revenait à s'introduire dans la ville par l'escalier de la cave, à pénétrer le salon par les souterrains. Rez-de-mer, rez-de-jardin, les portes grincèrent enfin. Par l'entrebâillement, nous découvrîmes les eaux paisibles du vieux bassin. Des mâts, des voiles, la Lieutenance et le Carrousel. Nous contournâmes le quai de la Quarantaine, ramant sereinement dans ces eaux prises. Les cloches sonnaient vêpres. Nous venions en huit jours de rallier la mer à la rame et sans assistance. À nous seuls, nous avions mis en échec la solitude et la morosité, le défaitisme et la sobriété.

Sur la rive attendaient quelques amis. Deux, pour être exact. Dont l'un avait ses 90 ans. C'était Philippe Tesson, le père de l'aventurier. Il avait tenu à faire le déplacement. « J'ai toujours cru en vous », dit-il depuis le quai. J'appris plus tard que le coup de l'andouille et des bourriches d'huîtres était son idée. Nous nous amarrâmes sans rancune à un anneau rouillé, bord à bord avec le *Jolie-France*. Décoiffés par les vents, brûlés par le soleil, nous sentions la vase et le sous-bois. Une question ne laissait pas de m'obséder : Waquet avait-il bronzé sous ses moustaches ?

⁂

Nous arrivons au terme de ce palpitant récit d'aventure. Avec une entière bonne foi et infiniment d'humilité, il m'a plu de remonter le cours des années pour vous dire comment nous étions parvenus à vivre nos rêves et gagner la mer. Nous avions perdu notre mât, nous avions perdu l'ancre et le réchaud Eva-Sport, nous avions perdu la bouteille de Sidi Brahim et j'allai bientôt perdre ma virginité ; mais jamais nous n'avions perdu foi en l'aventure. Cette foi tenait presque de l'obstination. Au prix d'efforts incessants, nous avions traversé des épreuves qui auraient découragé de moins déterminés que nous, ne devrait-on pas dire de moins « doués » ? On pense ici irrésistiblement à cette définition du génie par Kant : « Le génie est une intarissable faculté à prendre de la peine. » Rien n'avait pu nous faire renoncer, ni le froid ni la faim ni le foutu caractère de l'écopier. Inlassablement, d'un cœur intrépide, nous avions ramé et ramé. On pense ici irrésistiblement à ce refrain d'Alain Souchon le chanteur : « Rame, rame, rameurs, ramez. On n'avance à rien dans c'canoë. »

« Capitaine, demanda le major un peu plus tard, avons-nous réalisé un exploit ? » D'après le dictionnaire, l'exploit est la réalisation d'un acte n'appartenant pas à la sphère des compétences :

c'est mon facteur qui gagne le tour de France ou Bobby arrivant à l'heure à un rendez-vous. Notre incompétence en tous domaines ne faisait aucun doute. Par conséquent il y avait de grandes chances pour que nous vinssions, subjonctif imparfait du verbe venir, de réaliser effectivement un exploit. Entrerions-nous pour autant dans l'histoire ? Ce n'était pas dit. Qui se souviendrait encore du bateau *Bateau* et de son équipage dans mille ou deux mille ans ? Bien peu, sans doute. La vraie vie était ailleurs. Nous venions de passer un bon moment de sociabilité stimulante.

30 *bis*

Vous croyez peut-être, parce qu'on vous a mené par voie de mer à l'embouchure, qu'on vous ramènera par le même chemin. N'y comptez pas, c'était un aller simple. Je vous dirai seulement que nous revînmes à Paris en très peu de temps, ayant toujours vent arrière. Cela n'est pas trop nécessaire en train, mais c'est pour dire que tout conspirait à notre retour. En deux heures de temps nous remontâmes huit jours d'efforts. Rouen, Porcheville, Asnières, nous longions les eaux que nous avions barattées avec tant de difficulté. Au bar L'Atlantique, rue d'Amsterdam, à Paris, nous bûmes trois bocks. Il n'y eut pas une parole de prononcée, ce n'était pas la peine. « Faut qu'je rentre », dit malgré tout Bobby après un temps. « Moi pareil », ajouta Waquet. Notre jeunesse venait de mettre les voiles. Nous savions où nous dormirions ce soir : chacun chez soi, sauf Bobby car il habite encore chez ses parents. Pour tromper mon vague à l'âme, je décidai d'aller saluer la Seine. Je descendis la rue du Havre, rejoignis la Madeleine puis la place de la Concorde. Paris me semblait outrageusement maquillée, ridée. Elle était comme ces vieilles dames qui se plaisent à montrer leurs bijoux, leurs perles, leurs boucles et ne parlent que de leurs amours d'autrefois. Tandis que j'atteignais le pont de la Concorde, je me dis : « Toute cette eau, quand même… et qui coule jour et nuit… » Maintenant je savais où. Soudain, j'aperçus un navire qui ressemblait fort au *S.S. Joie-de-Vivre.* C'était effectivement le *S.S. Joie-de-Vivre.* Je fis un signe complice au capitaine. Il ne le rendit pas. Comment pouvait-il deviner que je venais de rallier Paris à la mer à la rame et sans assistance ? J'étais redevenu simple piéton. Il me tardait de repartir à l'aventure.

DROIT DE RÉPONSE[1]

Vous avez déjà entendu parler de génies s'échappant de leurs lampes, mais vous n'avez sans doute jamais vu un personnage sortir de son livre. Rassurez-vous, je ne vous sauterai pas à la gorge. Vous pouvez continuer à parcourir ces lignes en toute quiétude. Néanmoins, l'essentiel est ici : c'est le major qui vous parle et vous prend à témoin de sa réponse au capitaine.

Qu'un personnage s'adresse à son auteur a de quoi étonner. Comment pourrait-ce être autre chose que l'auteur se parlant à lui-même ? Là réside pour moi une première difficulté : il me faut vous prouver que je suis autonome. Pour cela, deux arguments suffiront. Le premier, je vous le livre en la forme interrogative : dira-t-on que Geppetto ment chaque fois que Pinocchio

1. *Note de l'auteur.* – En vertu de l'article attentatoire d'une loi inique, Waquet ci précédemment dénommé le major a exigé un droit de réponse à ce livre. Le voici reproduit à contrecœur et dans son entièreté.

dit des mensonges ? que Pygmalion se fait Narcisse en aimant Galatée ? que le Petit Prince n'a jamais voulu un mouton ? que le capitaine, enfin, fait parler ici le major pour mieux se faire valoir ? Trêve de plaisanteries. Les réponses sont dans les questions, mais je reviendrai tout de même en dernier sur la dernière. Le second argument est plus évident encore, quoique toujours à l'interrogatif : pensez-vous que les styles du capitaine et du major puissent être confondus ?

Ce premier point éclairci, je peux aborder l'essentiel. J'ai connu des cons larges comme des estuaires, mais l'estuaire de la Seine me fit un tout autre effet et je dois vous parler de Pitaine, l'homme au pompon de l'histoire. Philibert Humm, notre capitaine, que j'aurais nommé matelot par générosité révolutionnaire au cours de notre descente, que j'avais en réalité surnommé Pitaine, par amitié parfaite, est un rare escogriffe. Vous pensez peut-être qu'un escogriffe, c'est déjà rare. Imaginez donc un peu le bonhomme. Il importe ici de répondre aux allégations les plus fausses qu'il assena tout au long du fleuve avec la tranquillité propre aux auteurs qui ne pensent jamais qu'un de leurs personnages puisse, à la fin d'une œuvre, ouvrir le bec et rétablir deux trois choses. Bien mal lui en prit. C'était méconnaître le major, savoir moi-même, infatigable parleur qui ne respecte même pas la fin des livres pour se taire.

Donc, pour qu'il ne me croie pas manchot à

n'attraper jamais la mouche, je me suis mis en page de lui répondre. Tant de mauvais esprit à mon sujet – passait encore au sujet de Bobby – force l'admiration et la réponse argumentée. C'est pourquoi, sous les yeux ébahis de ses propres lecteurs, je ne rougis pas de lui adresser quelques avanies sans ordre apparent et tout de go, afin que chacun puisse juger que, si Pitaine éprouva quelques sentiments à notre égard, cela fut réciproque, toc ! et que ma réponse, ce n'est pas comme de la moutarde après dîner, poil au nez !

En premier lieu, je ne suis jamais allé sur la dune du Pyla, mais je sais qu'on orthographie Pilat. Le « y » fut introduit par stratégie balnéaire, lorsque la possibilité d'une confusion avec les crêts du Pilat, au sud-est de Saint-Étienne, put faire craindre une diminution de l'affluence parisienne.

En second lieu, je n'étudie pas le droit romain à la Sorbonne mais l'histoire du droit à Assas, comme cela ressort évidemment de toutes ces lignes.

En troisième lieu, il me fourre des ablatifs absolus plein la moustache alors que je ne baragouine jamais que du latin de bonne facture, classique et tout.

En quatrième lieu, il ne rend pas à chacun ce qui lui revient. J'ai employé plus en amont l'image du cor de Roland pour vous représenter l'effet de mes paroles et de mes actes sur l'attention de mes deux compères : eh bien voilà-t-il pas que, malgré ma prévenance et la générosité de mon paternel, la magnifique tente canadienne des années 60, d'un poids inférieur à trois kilos et – sans pourtant ressembler à un tabernacle – pouvant accueillir trois personnes, qu'aucun vieux campeur, enfin, ne voudrait plus céder contre rien, voilà-t-il pas que Pitaine l'attribue au père de Bobby ! D'autant plus, ajouterais-je en vain, qu'il ne manquait aucun double toit, puisque la tente était mono-tissulaire ; qu'il y avait bien quatre coins, puisque la tente était unicamérale ; qu'elle était café crème et non vert olive ; qu'il ne manquait aucun piquet mais que la hauteur sous tissu était de soixante centimètres – bien assez quand on se trouve à l'horizontale, mais invraisemblable pour Pitaine, lui qui aurait voulu faire les cent pas sous la tente afin que son ombre portée sur la toile donnât des airs mystérieux à son coucher. Plus, il tait éhontément le fait que Bobby, cherchant à tendre les haubans aussi fort, sans doute, que feu notre voile plastique ou que l'élastique du feu lance-pierre made in Cambodge, déchira le mono-tissu de la tente jusqu'à ouvrir un hublot au-dessus de nos pieds. Hublot, avouerai-je pour finir, qui ne fut d'aucune utilité pour les binoclards que nous sommes, incapables physiquement – l'auteur l'a déjà précisé – de regarder les étoiles avant de s'endormir, moins encore si l'on considère avec réalisme que, n'ayant pas toujours les yeux en face des trous, nous ne les avions pas, ce soir-là du moins, au fond des chaussettes.

En cinquième lieu, il emploie des mots compliqués à mauvais escient. Au chapitre 23, pour seul exemple, l'auteur titre « flambement de la mâture » avec flammes et crânerie, alors que le vent, qui soufflait arrière, exerçait une force parallèle à la déformation de la voile et bientôt du mât, qui tomba vers l'avant. Les lecteurs, comme moi experts en mécanique, savent bien qu'un matériau flambe lorsque la déformation physique est perpendiculaire à la force subie. Plus couramment : celui qui exerce une force (presque) verticale sur une peau de banane voit bientôt la banane et son pied d'appui s'échapper (presque) horizontalement. C'est une banane flambée. Il aurait mieux fait d'introduire des flabelles pour le confort des autres personnages qui suent à grosses gouttes pendant que môssieur cherche la bande éphème, plutôt que de faire le flambeur à employer des mots compliqués.

En sixième lieu, je passe sur les trente lieux suivants qui auraient bien apâli le pompon du capitaine et vous rejoins directement au milieu du fleuve, à l'endroit le plus remuant, pour vous rappeler que l'invention, dans l'art du discours, ne consiste pas à inventer n'importe quoi, mais à *trouver* – c'est ce que signifie le mot *inuentio* en latin, que seuls les juristes et les aventuriers comprennent encore dans l'expression « invention d'un trésor » – le meilleur moyen d'atteindre l'effet recherché. Il y a quelque temps, Cicéron donna plusieurs conseils à ce sujet.

En particulier : « L'orateur concis, dont le ton ne s'élève jamais, peut instruire les juges, il ne peut les émouvoir ; et cependant tout est là. » Ce conseil m'amène, en trente et unième lieu, à faire plus long que prévu.

En trente et unième lieu, je ne confesserai pas regretter parfois et secrètement que le peuplier n'ait été plus grand ou que le mât soit tombé plus à côté : ce serait me prêter des envies déraisonnables. Notre capitaine, qui n'avait rien de naval sinon son art de manger des navets, ni rien de fluvial que son habileté à noyer le poisson, était un égal, et quoique la promiscuité fût pénible à trois dans un canoë deux places augmenté d'une mâture, d'une voilure et de paquets en tout genre, jamais homme à bord de *Bateau* n'espéra la disparition d'aucun autre. Loin de confesser quelque horreur, je rappellerai plutôt comment Pitaine entra dans ma vie afin que ses lecteurs, d'abord, puissent connaître cet élément essentiel de sa biographie, et qu'ils y trouvent, ensuite, une preuve du fond magnanime que je me suis découvert, un jour, loin de la tour Magne (à Nîmes).

Chez Walid, un aventurier dont il ne sera, hélas, pas question ici, j'avais rencontré Pitaine autour de 2014, en quelque temps de rire et de bons mots, un soir clodoaldien, alors que la nuit se troublait dans un rouge au fond d'un duralex. J'y découvris que notre capitaine, qui s'appelait alors Philibert et portait encore son pull sous sa chemise, était doué du bon sens que Descartes, trop généreux, voulait partager avec tout le monde : son esprit doutait raisonnablement, sa curiosité s'enquerrait de tout, du moins de tout ce qui l'animait, c'est-à-dire le plus souvent ce qui avait l'accent du terroir, la franchise d'un Marseillais, la précision normande et la hauteur gothique – avec ses arabesques –, parfois l'esprit des hauts plateaux, pourvu qu'y paquissent[1] de drôles d'animaux. La tête un peu baissée, les doigts occupés à tripoter la nappe, la mâchoire légèrement avancée, l'esprit clair, il écoutait. Son rire, retenu d'abord, déchirait soudain sa bouche dans l'éclat véritable de son plaisir intérieur. Son sourire grandissait et rapprochait les lunettes de ses yeux. Bientôt, sa main se levait, il parlait, il répondait, il rétorquait. J'apprenais que la plupart des occasions de trouble sont grammairiennes. Depuis, ses allées et venues partout en France (c'est un aventurier) et l'immobilité attendue de ma tour d'ivoire nous réunissaient aux rares intersections où son pied badin pouvait faire lever mon cul de plomb. Après bien des tapes dans le dos partagées avec d'autres amitiés découvertes sous la mousse des grands jours – le bon Samuel, tête d'une troupe où des chorèges pastophores dansaient la pyrrhique ! – il y avait toujours en lui – je veux parler du capitaine –,

1. Le verbe paître étant défectif, j'ai pris sur moi l'audace et le courage d'inventer son subjonctif imparfait. Il m'a suffi de copier celui du verbe naître. J'ai retiré de cette expérience éprouvante un proverbe : Qui veut digérer sa langue, prépare la guerre à sa grammaire.

à chaque rencontre, à chaque bavardage, le sourire à demi déclaré d'un plaisir simple et continué pour la conversation.

En trente-deuxième et dernier lieu, Pitaine fouille mes carnets quand je suis un peu plus loin, les mains pleines et le dos tourné. Si si, au chapitre 18 *bis*, il ne rougit pas d'étaler mes effets personnels aux yeux de tous ceux qui passeraient par là. Un auteur doit à son personnage un minimum d'intimité. Et il revient à ce personnage de rendre à l'innombrable public de son auteur la perle de ses veilles, s'il veut. Je le veux. C'est pourquoi je vous livre ici l'intégralité des mots que Pitaine, traîtreusement, voulut arracher à mon carnet. Puissent-ils, désormais révélés, purger tout le plaisir qu'il retira de son méfait :

« *Restait le fleuve, tant de fois sillagé par les péniches et les supertankers… Devant des sentiers déjà battus, nous n'avions que la défaite en perspective, mais dans ces batailles où l'épée est de bois, le fanion est au cœur. Certes, on peut être héros sans visiter la terre ; mais l'ignorance nous coursait. Il nous fallait partir, extravaguer, voir de nos yeux les sinuosités du monde. Nous faisions confiance à notre ignorance pour nous le faire mieux connaître. La peste est l'opinion de savoir, dit le sage en collerette. Non, décidément, cette apostrophe ne nous concernait guère. C'est pourquoi nous partîmes, canoë sur l'épaule, jeter à l'eau ce qui nous restait de joie et de courage pour affronter le dieu le plus proche : la Seine !* »

Vous voyez, les carnets souvent doivent rester secrets.

⁂

Au total et comme je l'avais promis, cette réponse m'amène à revenir à son point de départ, en particulier sur la dernière question du premier argument – formulé à l'interrogatif – au soutien de mon autonomie. Les plus attentifs s'en souviennent encore, les autres s'y reporteront, et les plus perspicaces ne manqueront pas de voir que l'argument est contre-indiqué : si l'on ne peut admettre que le capitaine se fasse valoir en faisant parler le major, alors le capitaine n'est pas si mauvais, et le droit de réponse apparaît moins justifié. En effet, on ne répond pas à la bonne foi d'un auteur. C'est pourquoi : d'une part, vous verrez que ma réponse n'appellera aucune réponse ; d'autre part, je n'ai pas voulu vous donner l'image complètement noircie d'un capitaine qui, dans le fond, reste un auteur comme les autres et mérite un peu du respect que l'on donne parfois aux êtres humains.

DU MÊME AUTEUR

Aux Éditions des Équateurs

LE TOUR DE LA FRANCE PAR DEUX ENFANTS D'AUJOURD'HUI, avec Pierre Adrian, 2018. Prix Lamartine 2018.

LA MICHELINE. TOURNÉE DES BARS DE FRANCE, avec Pierre Adrian, 2021.

ROMAN FLEUVE, illustrations d'Arthur Capmas, 2022. Prix Interallié 2022 (Folio n° 7350).

Aux Éditions du Rocher

LES TRIBULATIONS D'UN FRANÇAIS EN FRANCE, 2021. Prix Alexandre-Vialatte 2021.

COLLECTION FOLIO

Dernières parutions

7123. Chantal Thomas	*De sable et de neige*
7124. Pef	*Petit éloge de l'aéroplane*
7125. Grégoire Polet	*Petit éloge de la Belgique*
7126. Collectif	*Proust-Monde. Quand les écrivains étrangers lisent Proust*
7127. Victor Hugo	*Carnets d'amour à Juliette Drouet*
7128. Blaise Cendrars	*Trop c'est trop*
7129. Jonathan Coe	*Mr Wilder et moi*
7130. Jean-Paul Didierlaurent	*Malamute*
7131. Shilpi Somaya Gowda	*« La famille »*
7132. Elizabeth Jane Howard	*À rude épreuve. La saga des Cazalet II*
7133. Hédi Kaddour	*La nuit des orateurs*
7134. Jean-Marie Laclavetine	*La vie des morts*
7135. Camille Laurens	*La trilogie des mots*
7136. J.M.G. Le Clézio	*Le flot de la poésie continuera de couler*
7137. Ryoko Sekiguchi	*961 heures à Beyrouth (et 321 plats qui les accompagnent)*
7138. Patti Smith	*L'année du singe*
7139. George R. Stewart	*La Terre demeure*
7140. Mario Vargas Llosa	*L'appel de la tribu*
7141. Louis Guilloux	*O.K., Joe !*
7142. Virginia Woolf	*Flush*
7143. Sénèque	*Tragédies complètes*
7144. François Garde	*Roi par effraction*
7145. Dominique Bona	*Divine Jacqueline*
7146. Collectif	*SOS Méditerranée*
7147. Régis Debray	*D'un siècle l'autre*

7148. Erri De Luca	*Impossible*
7149. Philippe Labro	*J'irais nager dans plus de rivières*
7150. Mathieu Lindon	*Hervelino*
7151. Amos Oz	*Les terres du chacal*
7152. Philip Roth	*Les faits. Autobiographie d'un romancier*
7153. Roberto Saviano	*Le contraire de la mort*
7154. Kerwin Spire	*Monsieur Romain Gary. Consul général de France*
7155. Graham Swift	*La dernière tournée*
7156. Ferdinand von Schirach	*Sanction*
7157. Sempé	*Garder le cap*
7158. Rabindranath Tagore	*Par les nuées de Shrâvana* et autres poèmes
7159. Urabe Kenkô et Kamo no Chômei	*Cahiers de l'ermitage*
7160. David Foenkinos	*Numéro deux*
7161. Geneviève Damas	*Bluebird*
7162. Josephine Hart	*Dangereuse*
7163. Lilia Hassaine	*Soleil amer*
7164. Hervé Le Tellier	*Moi et François Mitterrand*
7165. Ludmila Oulitskaïa	*Ce n'était que la peste*
7166. Daniel Pennac	*Le cas Malaussène I Ils m'ont menti*
7167. Giuseppe Santoliquido	*L'été sans retour*
7168. Isabelle Sorente	*La femme et l'oiseau*
7169. Jón Kalman Stefánsson	*Ton absence n'est que ténèbres*
7170. Delphine de Vigan	*Jours sans faim*
7171. Ralph Waldo Emerson	*La Nature*
7172. Henry David Thoreau	*Sept jours sur le fleuve*
7173. Honoré de Balzac	*Pierrette*
7174. Karen Blixen	*Ehrengarde*
7175. Paul Éluard	*L'amour la poésie*
7176. Franz Kafka	*Lettre au père*
7177. Jules Verne	*Le Rayon vert*

7178.	George Eliot	*Silas Marner. Le tisserand de Raveloe*
7179.	Gerbrand Bakker	*Parce que les fleurs sont blanches*
7180.	Christophe Boltanski	*Les vies de Jacob*
7181.	Benoît Duteurtre	*Ma vie extraordinaire*
7182.	Akwaeke Emezi	*Eau douce*
7183.	Kazuo Ishiguro	*Klara et le Soleil*
7184.	Nadeije Laneyrie-Dagen	*L'étoile brisée*
7185.	Karine Tuil	*La décision*
7186.	Bernhard Schlink	*Couleurs de l'adieu*
7187.	Gabrielle Filteau-Chiba	*Sauvagines*
7188.	Antoine Wauters	*Mahmoud ou la montée des eaux*
7189.	Guillaume Aubin	*L'arbre de colère*
7190.	Isabelle Aupy	*L'homme qui n'aimait plus les chats*
7191.	Jean-Baptiste Del Amo	*Le fils de l'homme*
7192.	Astrid Eliard	*Les bourgeoises*
7193.	Camille Goudeau	*Les chats éraflés*
7194.	Alexis Jenni	*La beauté dure toujours*
7195.	Edgar Morin	*Réveillons-nous !*
7196.	Marie Richeux	*Sages femmes*
7197.	Kawai Strong Washburn	*Au temps des requins et des sauveurs*
7198.	Christèle Wurmser	*Même les anges*
7199.	Alix de Saint-André	*57 rue de Babylone, Paris 7ᵉ*
7200.	Nathacha Appanah	*Rien ne t'appartient*
7201.	Anne Guglielmetti	*Deux femmes et un jardin*
7202.	Lawrence Hill	*Aminata*
7203.	Tristan Garcia	*Âmes. Histoire de la souffrance I*
7204.	Elsa Morante	*Mensonge et sortilège*
7205.	Claire de Duras	*Œuvres romanesques*
7206.	Alexandre Dumas	*Les Trois Mousquetaires. D'Artagnan*
7207.	François-Henri Désérable	*Mon maître et mon vainqueur*
7208.	Léo Henry	*Hildegarde*

7209. Elizabeth Jane Howard	*Confusion. La saga des Cazalet III*
7210. Arthur Larrue	*La diagonale Alekhine*
7211. Hervé Le Tellier	*Inukshuk, l'homme debout*
7212. Jean-Christophe Rufin	*La princesse au petit moi. Les énigmes d'Aurel le Consul*
7213. Yannick Bestaven	*Mon tour du monde en 80 jours*
7214. Hisham Matar	*Un mois à Sienne*
7215. Paolo Rumiz	*Appia*
7216. Victor Hugo	*Préface de* Cromwell
7217. François-René de Chateaubriand	*Atala* suivi de *René*
7218. Victor Hugo	*Le Rhin*
7219. Platon	*Apologie de Socrate*
7220. Maurice Merleau-Ponty	*Le doute de Cézanne*
7221. Anne Delaflotte Mehdevi	*Le livre des heures*
7222. Milena Busquets	*Gema*
7223. Michel Butor	*Petite histoire de la littérature française*
7224. Marie Darrieussecq	*Pas dormir*
7225. Jacky Durand	*Plus on est de fous plus on s'aime*
7226. Cecil Scott Forester	*Hornblower aux Antilles. Capitaine Hornblower*
7227. Mia Kankimäki	*Ces héroïnes qui peuplent mes nuits*
7228. François Noudelmann	*Les enfants de Cadillac*
7229. Laurine Roux	*L'autre moitié du monde*
7230. Robert Seethaler	*Le dernier mouvement*
7231. Gilbert Sinoué	*Le Bec de Canard*
7232. Leïla Slimani	*Regardez-nous danser. Le pays des autres, 2*
7233. Jack London	*Le Loup des mers*
7234. Tonino Benacquista	*Porca miseria*
7235. Daniel Cordier	*La victoire en pleurant. Alias Caracalla 1943-1946*
7236. Catherine Cusset	*La définition du bonheur*

7237. Kamel Daoud	*Meursault, contre-enquête*
7238. Marc Dugain	*La volonté*
7239. Alain Finkielkraut	*L'après littérature*
7240. Raphaël Haroche	*Une éclipse*
7241. Laura Kasischke	*À Suspicious River*
7242. Étienne Kern	*Les envolés*
7243. Alexandre Labruffe	*Wonder Landes*
7244. Virginie Ollagnier	*Ils ont tué Oppenheimer*
7245. John Steinbeck	*Des souris et des hommes*
7246. Collectif	*La poésie à vivre. Paroles de poètes*
7247. Gisèle Halimi	*Plaidoirie pour l'avortement*
7248. Gustave Flaubert	*Récits de jeunesse*
7249. Santiago H. Amigorena	*Le premier exil*
7250. Fabrice Caro	*Samouraï*
7251. Raphaël Confiant	*La muse ténébreuse de Charles Baudelaire*
7252. Annie Ernaux	*L'autre fille*
7253. Margaret Kennedy	*Le festin*
7254. Zoé Oldenbourg	*Argile et cendres*
7255. Julie Otsuka	*Quand l'empereur était un dieu*
7256. Pascal Quignard	*L'amour la mer*
7257. Salman Rushdie	*Grimus*
7258. Antoine Wauters	*Le musée des contradictions*
7259. Nathalie Azoulai	*La fille parfaite*
7260. Claire Castillon	*Son empire*
7261. Sophie Chauveau	*Journal intime de la Vierge Marie*
7262. Éric Fottorino	*Mohican*
7263. Abdulrazak Gurnah	*Paradis*
7264. Anna Hope	*Le Rocher blanc*
7265. Maylis de Kerangal	*Canoës*
7266. Anaïs LLobet	*Au café de la ville perdue*
7267. Akira Mizubayashi	*Reine de cœur*
7268. Ron Rash	*Une terre d'ombre*
7269. Yasmina Reza	*Théâtre II*
7270. Emmanuelle Salasc	*Hors gel*

Tous les papiers utilisés pour les ouvrages des collections Folio sont certifiés et proviennent de forêts gérées durablement.

Composition Nord Compo
Impression Grafica Veneta
à Trebaseleghe, le 15 février 2024
Dépôt légal : mars 2024

ISBN 978-2-07-301944-8 / Imprimé en Italie

560431